Filosofia sociale 5
collana diretta da Agostino Carrino

Michael Walzer

Interpretazione
e critica sociale

a cura di Agostino Carrino

EL edizioni lavoro

titolo originale: *Interpretation and Social Criticism*
traduzione di Agostino Carrino

copertina di Rinaldo Cutini
finito di stampare nell'ottobre 1990
dalla tipografia Artigiana Multistampa snc
via Ruggero Bonghi 36, Roma

Sommario

Esodo e interpretazione: una nota su Walzer

di Agostino Carrino

1. «La teoria della giustizia — scrive Walzer nel suo libro più noto, *Sfere di giustizia* — è attenta alle differenze e sensibile ai confini; tuttavia non implica che le società siano più giuste se sono più differenziate. [...] La forma estrema della tirannia, il totalitarismo moderno, è possibile solo in società altamente differenziate. Infatti, esso è la *Gleichschaltung*, la coordinazione sistematica di beni sociali e sfere di vita che dovrebbero essere tenuti separati, e gli orrori che lo caratterizzano derivano dalla forza di questo "dovrebbero" nelle nostre vite».[1]

Questa critica, di sapore hegeliano, al dover essere, ha fatto dire a qualche critico che Walzer è un relativista,[2] una tesi plausibile, come si potrà vedere anche leggendo *Interpretazione e critica sociale*. Ciò pone un problema serio per la comprensione dell'intera filosofia sociale di Walzer. È appena stato tradotto in italiano un suo libro del 1977, *Guerre giuste e ingiuste*, dove, al contrario, l'approccio non ha forti movenze relativistiche: le convinzioni morali e politiche espresse si rapportano a modelli teoretici che trascendono i diversi esempi storici e antropologici addotti;[3] e tuttavia, anche in questo libro, ciò che interessa Walzer è pur sempre la struttura reale del mondo morale, una struttura che proprio per la sua *effettività* (in senso sociologico) non può non essere plurale e con-

7

tingente. Il libro che però ci consente di cogliere meglio le linee direttrici della teoria walzeriana è certamente *Esodo e rivoluzione*,[4] su cui è bene soffermarsi un istante.

Il racconto biblico dell'Esodo svolge un ruolo decisivo nella filosofia di Walzer, del resto esperto di cultura ebraica ed ebreo egli stesso. Innanzi tutto, l'Esodo è il simbolo di una concezione lineare del tempo: esso «modella in modo definitivo la concezione ebraica del tempo; e, in ultima analisi, serve da modello, anche per le concezioni non ebraiche. È l'alternativa a tutte le concezioni mitiche dell'eterno ritorno — e perciò alla concezione ciclica del cambiamento politico, da cui deriva la nostra parola "rivoluzione"».[5] L'eterno ritorno caratterizza le società chiuse, naturalisticamente determinate nel ciclo nascita/rinascita, dove gli eventi si ripetono e i protagonisti sono privi di singolarità storica. La narrazione biblica dell'Esodo rappresenta invece una rottura netta con la concezione ciclica e apre a una prospettiva di liberazione, come dimostra il fatto che ad esso si sono richiamati nel corso della storia quasi tutti i movimenti politici radicali. «L'Esodo è un movimento nel senso letterale, un avanzamento nello spazio e nel tempo, la forma originaria (o la formula) della storia progressiva».[6]

2. Ma da cosa si fugge, nell'Esodo? Se l'Esodo ha sempre svolto un ruolo centrale nel pensiero democratico radicale, Walzer, ora, sottolinea anche la centralità dell'Egitto, perché per «fuggire» occorre che vi sia qualcosa da cui si fugge. L'Egitto non è più, allora, un luogo storico, ma un simbolo, una presenza quotidiana. Vi è sempre un «Egitto» da cui fuggire, e questo Egitto è la condizione dell'uomo: «ovunque si viva, probabilmente si vive in Egitto».[7] L'Egitto di cui parla Walzer è (anche) un Egitto interiore, è la casa di schiavitù dell'uomo storico che non si libera dalle catene del servaggio. Aiuta, a questo proposito, un brano da *Sfere di giustizia*, dove è palese la con-

cezione pessimistica che egli ha del mondo e della vita, quel passo dove, descrivendo la formazione di un gruppo libertario e radicale, Walzer enumera le prime azioni dei membri del gruppo, consistenti nel darsi delle strutture politiche e dei capi: «Intesa alla lettera, l'eguaglianza è un ideale fatto per essere tradito; uomini e donne impegnati la tradiscono, o sembrano tradirla, non appena organizzano un movimento per l'eguaglianza e spartiscono fra di loro potere, posizioni e influenza».[8] L'Egitto è allora una vocazione dello spirito umano, una categoria mentale, prima che una dimensione storica. Gli ebrei nel deserto continuano, ad esempio, ad avere un'idea «egiziana» della libertà, il che significa che continuano a pensare secondo i canoni e i criteri della cultura egiziana.

Se «ovunque si viva, probabilmente si vive in Egitto», allora è chiaro che il problema dell'Esodo e della liberazione è, prima che una questione materiale, una questione culturale, un problema di libertà mentale e spirituale. Questa libertà da realizzare è la «terra promessa» della Bibbia, un posto migliore per tutti noi, che non sta però tanto nella materialità degli accadimenti storici, ma in una dimensione spirituale. Perciò la via che porta a questo posto migliore, a questa terra promessa, passa attraverso il deserto, *deve* passare attraverso il deserto. Non una volta soltanto, ma sempre e continuamente. È questo l'aspetto affascinante della teoria di Walzer che lo porta a rifiutare l'escatologia rivoluzionaria in nome di una visione riformista della realtà. «Il problema della critica senza legami organici, e quindi della critica che deriva da standard morali scoperti o inventati *ex novo*, è che essa costringe coloro che la esercitano a pratiche manipolative e costrittive» (*infra*). Perciò il deserto è necessario: è la via che porta alla terra promessa ma che, proprio in quanto via, cammino, è anche più importante della terra promessa, perché è ciò che accomuna nella ricerca del posto migliore. Non voglio dire che in Walzer vi sia una dimensione religiosa, ma certamente vi è una consapevolezza, che non esito a definire religiosa, che solo attraverso un'impresa comune e nella comunità dell'imprendere l'uomo può sperare. L'unico modo per raggiungere la terra promessa «è unirsi e marciare insieme»,[9] ma in realtà l'obiettivo è proprio l'unione o *com*-unione: la terra promessa si conquista nel marciare insieme. Perciò il sentiero dell'interpretazione, a differenza delle false scorciatoie della scoperta e dell'invenzione, è senza fine, come è senza fine il cammino dell'uomo sociale nel deserto della storia.

3. L'interpretazione svolge perciò un ruolo decisivo in questa concezione della comunione degli individui verso una meta comune. Interpretare significa far parte dell'impresa, è un modo umile di unirsi agli altri, a quegli altri che si possono anche criticare nella misura in cui si interpretano, nella misura in cui, cioè, si colgono i valori comuni che comunemente esistono. «La critica dell'esistenza comincia, o può cominciare, da principî interni all'esistenza stessa» (*infra*). Perciò la scoperta e l'invenzione — la prima, manifestazione di Dio o della verità oggettiva, la seconda, risultato di un metodo corretto per progettare una morale — come sentieri di filosofia morale sono, in realtà, interpretazioni camuffate: esse esprimono in altre forme il fatto che i principî morali scoperti o inventati sono principî già esistenti. Ciò che facciamo quando forniamo delle argomentazioni morali, scrive Walzer, non è altro che dare delle spiegazioni della morale che di fatto c'è. «Quella morale ha autorità per noi perché è solo in virtù della sua esistenza che noi esistiamo come gli esseri morali che siamo. Le nostre categorie, i nostri rapporti, i nostri impegni e aspirazioni sono tutti formati dalla morale esistente e espressi nei termini della morale esistente» (*infra*). Questa morale è la nostra morale, la morale di un popolo particolare, con sue leggi, suoi costumi, suoi dèi; ogni popolo ha il suo Egitto (Caftor per i filistei, Kir per gli aramei, nel brano di Amos citato

da Walzer), e quindi il suo Esodo e la sua terra promessa, come le leggi di Licurgo erano le leggi di un dio «spartano», non di un dio universale. «È un errore — scrive Walzer in chiusura di *Interpretazione e critica sociale* — lodare i profeti per il loro messaggio universalistico. Infatti, ciò che è più da ammirare in loro è la loro polemica particolaristica con i figli di Israele». Essi sono così dei critici sociali proprio perché conoscono la storia di Israele, i valori viventi nei cuori dei suoi figli, le loro aspirazioni e le loro paure. Le loro e non di altri: ogni popolo ha i suoi profeti, cioè i suoi propri critici sociali. Il critico *à la* Sartre, che «tradisce» la Francia e «critica» i francesi dalla parte degli algerini, non è un critico sociale. Si capisce quindi che Walzer può essere considerato, secondo gli schemi politici continentali, un riformista forte, un socialdemocratico, critico della democrazia liberale e del suo *rights talk* ma, appunto, critico «organico», *connected*, secondo la definizione data in *Interpretazione e critica sociale*. Ma chi è il critico sociale? Cos'è quella che Walzer chiama la «onorevole compagnia dei critici sociali»?

4. Nel suo ultimo libro del 1988, *The Company of Critics*, Walzer analizza l'opera di alcuni «critici sociali» del Novecento, da Benda a Foucault. Anche se, qui, egli non fa critica sociale, il suo scopo, come osserva Brian Barry, è però «di lodare un tipo di critica e denigrarne altri».[10] «Il moderno critico sociale — scrive Walzer — è uno specialista del lamento, non il primo, certamente non l'ultimo».[11] Il critico, però, non è solo colui che protesta e si lamenta, ma una persona che si identifica — o, meglio, che deve identificarsi, per essere critico — con la società che critica e si rivolge direttamente ai membri di quella società. «Il lamento è una delle forme elementari di autoaffermazione, e la risposta al lamento è una delle forme elementari di riconoscimento reciproco. Quando ciò che è in questione non è l'esistenza stessa, ma l'esistenza sociale, l'essere-per-gli altri, allora il lamento prova abba-

stanza: mi lamento, quindi sono. Discutiamo il lamento, quindi siamo».[12] La critica sociale è perciò un'attività intrinsecamente sociale e pratica. Essa presuppone l'esistenza di una comunità (politica, sociale, economica e morale) che possa essere criticata; in altri termini, il critico sociale è un individuo legato (che *deve* essere legato, per essere critico) a una *particolare* comunità, organico ad essa anche quando da essa è (si crede) lontano: l'ingenuità dell'osservatore persiano, scrive Walzer, è solo una maschera per la sofisticazione francese di Montesquieu.

I critici favoriti di Walzer (tra i molti che studia in *The Company of Critics*) sono, senza dubbio, Silone, Orwell e Camus, tutti legati alle comunità sociali di cui sono la voce (i contadini abruzzesi, gli inglesi, i *pieds noirs*). Ognuno «interpreta», e quindi difende, i valori propri di quella comunità contro il lamento sradicato, «cosmopolita», della critica astratta. In questa prospettiva è quanto mai importante sottolineare che se Silone, Orwell e Camus sono dei «buoni» critici sociali, Foucault, Marcuse e la de Beauvoir sono il lato «cattivo» dell'impresa critica, dei cattivi critici; meglio ancora, essi non sono critici affatto.

Il concetto di «organicità» si lega ad uno dei tre «sentieri» di filosofia morale (gli altri sono quello religioso, della scoperta del codice morale, e quello rivoluzionario, dell'invenzione di un mondo morale altro, lontano, di regola collocato in un futuro asimmetrico rispetto al processo del mondo storico reale) di cui Walzer discute nel libro qui presentato: il sentiero dell'interpretazione. Solo il critico che si fa interprete è veramente *connected*, e solo l'interprete organico sa essere un critico efficace della società di cui fa parte, della comunità di cui è membro, espressione e coscienza. Il sentiero dell'interpretazione in filosofia morale corrisponde allora ad una scelta riformista in filosofia politica. Ripetutamente Walzer sottolinea che l'interpretazione non vincola allo *status quo*, che essa, cioè, non è di per sé conservatrice. Esempio paradigmatico quello del profeta Amos: la sua profezia, scrive Walzer, «è critica sociale perché essa sfida i capi, le convenzioni, le pratiche rituali di una società particolare e perché lo fa in nome di valori riconosciuti e condivisi in quella stessa società». (*infra*). Per Walzer l'interpretazione non obbliga affatto ad una lettura positivistica dei principî morali esistenti, a una mera descrizione dei fatti morali dati; la critica sociale del critico organico deve anzi essere la via propria per un progresso morale. E così la critica del critico «organico» resta pur sempre una critica «disomogenea», antagonista, o può almeno essere portatrice di una cultura antagonista al «testo» interpretato, vale a dire ai valori, principî, codici e convenzioni che costituiscono il mondo morale effettivamente esistente.

5. È qui che si inserisce l'argomento centrale di Walzer in *Interpretazione e critica sociale*, l'esempio di Locke e della sua *Lettera sulla tolleranza*. Ora, proprio Locke conferma la tesi di Walzer da un lato e la indebolisce dall'altro. La conferma, perché certamente Locke stava dentro e non fuori le questioni teologiche che venivano dibattute al suo tempo, stava dentro la struttura e le lotte politiche, ma proprio il suo esser dentro e legato ad una parte politica solleva una questione cruciale, *il rapporto tra etica e politica*. Quando, infatti, si può essere impegnati politicamente senza tradire la propria vocazione morale?[13] Walzer sostiene che ciò che dà forma alla critica sociale è l'opposizione, non il distacco. Il critico prende posizione a favore e contro, a favore del popolo, contro le forze politiche dominanti. Bene. Ma perché il critico non può prendere posizione a favore delle forze politiche dominanti pur restando critico, critico, semmai, delle follie del popolo? O anche critico sia del popolo sia delle forze politiche dominanti, come nel caso degli oppositori (non moltissimi) del regime nazionalsocialista tedesco, simbiosi di dominio (spesso violento) e consenso (frequente-

mente tutt'altro che estorto con la forza)? È questo il punto dolente del democraticismo radicale di cui Walzer si fa portavoce. V'è in questa visione una concezione quasi mistica del popolo, del *demos*, come *fonte ultima e unica di ogni legittimità e, in un certo senso, di ogni verità*. Certo, il criterio di legittimità è quello della maggioranza, che è un criterio rilevante e decisivo per la democrazia moderna, ma un discorso morale non può considerare la maggioranza come l'unico criterio di validità delle decisioni in un campo in cui, necessariamente, anche le maggioranze — nonostante la storia talmudica raccontata da Walzer alla fine del primo capitolo di questo libro — possono sbagliare, tanto più quando la formazione della maggioranza viene demandata da Walzer all'arte della persuasione, del ben parlare, che potrebbe avere un senso in una comunità quale quella greca o in una comunità di sapienti, ma che finisce con l'occultare la realtà delle cose nelle società moderne, dove il potere del denaro compra anche l'arte della parola. Qui, direi, l'obiezione di Ronald Dworkin a Walzer è tutt'altro che superficiale, quando il filosofo liberale del diritto scrive che il modo in cui oggi la ricchezza (una sfera «separata», secondo la concezione di Walzer) influenza la politica (un'altra sfera) non è comprando i voti ma comprando il tempo televisivo.[14]

Resta, comunque, come dimostra proprio il piccolo libro che il lettore ha tra le mani, il fascino del democraticismo radicale di Walzer, che ci insegna quanto sia necessario conoscere la propria storia e la propria comunità e dialogare criticamente con esse; un insegnamento particolarmente utile per gli italiani, affetti ormai da quel male così provinciale che è l'ignoranza e il disinteresse per la società in cui si è nati, si vive e si morrà, ignoranza che è alla radice della scarsità di autentici critici sociali nel nostro paese, ancora diviso tra «inventori» di nuove morali e apologeti di «morali» private.

[1] M. Walzer, *Spheres of Justice: A Defense of Pluralism and Equality*, Basic Books, New York 1983 (trad. it. di G. Rigamonti, Feltrinelli, Milano 1987, p. 315).

[2] Cfr. R. Dworking, *To Each His Own*, in «New York Review of Books», 14 aprile 1983, pp. 4-6 (trad. it. di E. D'Orazio in R. Dworkin, *Questioni di principio*, Il Saggiatore, Milano 1990, pp. 261-268); J.S. Fishkin, *Defending Equality: A View from the Cave*, in «Michigan Law Review», vol. 82, 1984, pp. 756-760.

[3] M. Walzer, *Just and Unjust Wars*, Basic Books, New York 1977 (trad. it. di F. Armao, Liguori, Napoli 1990).

[4] M. Walzer, *Exodus and Revolution*, Basic Books, New York 1985 (trad. it. di M. D'Alessandro, Feltrinelli, Milano 1986).

[5] Ivi, p. 17.

[6] Ivi, p. 19.

[7] Ivi, p. 99.

[8] M. Walzer, *Spheres of Justice*, trad. it. cit., p. 7.

[9] M. Walzer, *Exodus and Revolution*, trad. it. cit., p. 99.

[10] B. Barry, *Complaining*, recensione a *The Company of Critics*, in «London Review of Books», 23 novembre 1989, p. 12.

[11] M. Walzer, *The Company of Critics. Social Criticism and Political Commitment in the Twentieth Century*, Basic Books, New York 1988, p. 4.

[12] Ivi, p. 3.

[13] Elias Díaz ha scritto in merito un bel libro, che sta per apparire in traduzione italiana in questa stessa collona, *Etica contra politica. Los intellectuales y el poder*, Centro de Estudios Constitucionales, Madrid 1990.

[14] R. Dworkin, *Questioni di principio*, trad. it. cit., p. 264.

Michael Walzer

Interpretazione e critica sociale

a J.B.W.

Prefazione

Il mio scopo, in questo libro, è di provvedere una struttura filosofica per la comprensione della critica sociale come pratica sociale. Che fanno i critici sociali? Come lo fanno? Donde provengono i loro principî? Come stabiliscono i critici la loro distanza dalla gente e dalle istituzioni che criticano? La tesi sostenuta nel libro, secondo cui la critica sociale dev'essere intesa come interpretazione critica, corre parallela a tesi sostenute in anni recenti da parte di filosofi europei. Io ho però cercato di trovare la via mia propria, nel mio proprio linguaggio, senza riferimenti diretti al loro lavoro. Spero di pubblicare prossimamente un libro più lungo che affronti la pratica della critica nel XX secolo, un libro più esplicitamente politico, rispetto al quale questo libro costituisce un preambolo teoretico. Lì avrò occasione di sollevare il problema, tanto politico quanto filosofico, se la critica sociale sia possibile senza una «teoria critica».

I primi due capitoli furono presentati come *Tanner Lectures on Human Values* all'Università di Harvard il 13 e il 14 novembre 1985 e sono pubblicati qui col permesso dei garanti delle *Tanner Lectures on Human Values*. Il terzo capitolo venne letto a Harvard Hillel il 15 novembre. I tre capitoli furono scritti più o meno nello stesso periodo, usano lo stesso vocabolario e sostengono le stesse tesi; essi vanno insieme e l'ultimo dà ciò di cui i primi due sono largamente privi: un certo grado di concretezza e di specificità storica.

Sono grato a molti membri della comunità di Harvard, tutti critici, che parteciparono alle conferenze e mi spiegarono dove avevo sbagliato. Le mie revisioni riflettono certamente le loro critiche — specialmente quelle di Martha Minow, Michael Sandel, Thomas Scanlon, Judith Shklar e Lloyd Weinreb — anche se la riflessione è probabilmente, abbastanza spesso, oscura e incompleta. «Il profeta come critico sociale», in una versione precedente, fu discusso ad un simposio sulla profezia alla Drew University e pubblicato in «Drew Gataway», con un'utile risposta di Henry French. Parecchie persone dell'Institute for Advanced Studies hanno letto le conferenze per me e le hanno commentate minuziosamente: Clifford Geertz, Don Herzog, Michael Rustin e Alan Wertheimer. La forma definitiva di questo libro deve molto a loro, anche se non ne sono responsabili.

Capitolo primo
Tre sentieri di filosofia morale

Nonostante il titolo di questo capitolo, non sosterrò che vi sono tre, e solo tre, modi di fare filosofia morale. Il mio scopo non è quello di presentare un elenco completo dei vari modi possibili per avvicinarsi ai problemi della filosofia morale, ma solo di esaminare tre di queste vie, tanto importanti quanto comuni: sono quelle che io chiamo il sentiero della scoperta, il sentiero dell'invenzione e il sentiero dell'interpretazione. Intendo descrivere l'ultimo sentiero come quello (dei tre) che meglio si accorda con la nostra esperienza quotidiana della morale. Nel capitolo successivo cercherò poi di difendere l'interpretazione contro l'accusa secondo cui essa — poiché possiamo interpretare solo ciò che già esiste — ci vincolerebbe irrevocabilmente allo *status quo*, eliminando in tal modo la possibilità stessa della critica sociale. Essendo la critica un aspetto della morale quotidiana, l'accusa ha un duplice carattere: essa suggerisce non solo che l'interpretazione è un cattivo programma per l'esperienza morale, ma anche che ne è una cattiva descrizione. Essa non è, si afferma, né normativamente né descrittivamente corretta. Parlerò contro entrambi questi aspetti dell'accusa — procedendo in questo capitolo per contrasto teorico, nel prossimo per esempi pratici; accentrando l'attenzione più sulla spiegazione qui, più sul programma lì —, senza però legarmi a questa divisione semplice e probabilmente fuorviante. L'ultimo capitolo metterà insieme spiegazione e programma, in un'estesa analisi storica della critica sociale, specificamente della profezia biblica, nella forma dell'interpretazione.

Noi conosciamo il sentiero della scoperta innanzi tutto e più di tutto dalla storia della religione. Qui, senza dubbio, la scoperta serve la rivelazione, e tuttavia c'è sempre qualcuno che deve scalare la montagna, penetrare il deserto, cercare il Dio-che-rivela e portare al popolo la sua parola. Questa persona è per noi lo scopritore della legge morale: se Dio la rivela a lui, egli la rivela a noi. Come il mondo fisico, come la vita stessa, la morale è una creazione; ma noi non siamo i suoi creatori. Dio la crea e noi, col suo aiuto e l'aiuto dei suoi servi, arriviamo a conoscerla e poi ad ammirarla e studiarla. La morale religiosa prende comunemente la forma di un testo scritto, di un libro sacro, e così essa ha bisogno di essere interpretata. Noi, però, ne facciamo esperienza per la prima volta grazie alla scoperta. Il mondo morale è come un nuovo continente e il capo religioso (il servo di Dio) è come un esploratore, che ci porta la buona novella della sua esistenza e la prima mappa dei suoi contorni.

Noterei un aspetto significativo di questa mappa. Il mondo morale non è solo creato da Dio; esso viene costituito per mezzo di comandi divini. Quel che ci viene rivelato è un insieme di decreti: fa questo!, non far quello! E questi decreti hanno un carattere critico, critico sin dall'inizio, perché non ci sarebbe affatto una rivelazione, se Dio ci comandasse di fare e non fare cose che noi già facciamo e non facciamo. Una morale rivelata starà sempre in netto contrasto con le vecchie idee e le vecchie pratiche. Questo può ben essere il suo principale vantaggio. Ma è, necessariamente, un vantaggio di breve durata, perché una volta che la rivelazione viene accettata, una volta che il nuovo mondo morale viene abitato, il mordente critico va perduto. Ora i decreti di Dio — così per lo meno fingiamo a noi stessi — regolano il nostro comportamento quotidiano; noi siamo ciò che egli vuole che siamo. Ogni morale che sia stata scoperta una volta, naturalmente, può sempre essere riscoperta. La pretesa di aver ritrovato qualche dottrina da tempo perduta o corrotta è la base di ogni riforma religiosa e morale. Ma Dio non è presente ora nello stesso modo in cui lo era all'inizio. La riscoperta non serve la rivelazione; essa è opera nostra, ha una forma archeologica, e noi dobbiamo interpretare ciò che scoviamo. La legge morale riscoperta non ha la fiammeggiante chiarezza del suo primo avvento.

Questa breve esposizione della morale religiosa vuol essere un preludio ad una storia più secolare. Ci sono rivelazioni sia naturali sia divine, ed un filosofo che ci riferisca dell'esistenza della legge naturale, per esempio, o di diritti naturali o di un insieme di verità morali oggettive, ha camminato sul sentiero della scoperta. Forse l'ha percorso da antropologo morale, alla ricerca di ciò che è naturale in ciò che è reale. Più probabilmente, data la forma standard dell'impresa filosofica, la ricerca è interna, mentale, una questione di distacco e di riflessione. Il mondo morale appare quando il filosofo indietreggia nella sua mente dalla sua posizione sociale. Egli si libera dai suoi interessi e legami ristretti; abbandona il suo proprio punto di vista e guarda al mondo, come dice Thomas Nagel, da «nessun particolare punto di vista».[1] Il progetto è per lo meno tanto eroico quanto scalare la montagna o avanzare nel deserto. «Nessun particolare punto di vista» è un posto imprecisato sulla via verso il punto di vista di Dio, e ciò che il filosofo vede da lì è qualcosa di simile a un valore oggettivo. Cioè, se capisco il ragionamento, egli vede se stesso e tutti gli altri, se stesso non diverso dagli altri, e riconosce i principî morali che necessariamente governano i rapporti di creature come quelle.

La necessità, chiaramente, è morale, non pratica, altrimenti non dovremmo indietreggiare per scoprirla. Perciò i principî, ancora una volta, sono principî critici; essi esistono ad una qualche distanza dalle nostre pratiche ed opinioni provinciali. Ed una volta che li abbiamo scoperti, o una volta che ci sono stati annunciati, dovremmo incorporarli nella nostra vita morale quotidiana. Ammetto però di avere meno fiducia in questa scoperta secolare che nella precedente scoperta religiosa. Quasi sempre, i principî morali che ci vengono consegnati qui sono già in nostro possesso, incorporati, per così dire, molto tempo fa, oramai familiari e consumati per l'uso. La scoperta filosofica è probabilmente inferiore alla novità radicale e alla netta specificità della rivelazione divina. Le descrizioni della legge di natura o dei diritti naturali raramente suonano sincere come le descrizioni di un nuovo mondo morale. Consideriamo la scoperta di Nagel di quel principio morale oggettivo secondo cui non dovremmo essere indifferenti alla sofferenza altrui.[2] Io riconosco il principio, ma sento la mancanza dell'agitazione prodotta dalla rivelazione. Già lo conoscevo. Ciò che è implicito in scoperte di questo tipo è qualcosa di simile a una scorporazione di principî morali, sicché noi possiamo vederli, non per la prima volta ma luminosamente, senza gli interessi e i pregiudizi che li hanno ricoperti col tempo. Visti in questo modo, i principî possono bene sembrare oggettivi; noi li «conosciamo» proprio come uomini e donne religiosi conoscevano la legge divina. Essi, per così dire, stanno *là*, in attesa d'esser fatti osservare. Ma essi stanno là sol perché di fatto stanno qui, perché rappresentano degli aspetti della vita ordinaria.

Non intendo negare la realtà dell'esperienza dell'indietreggiare, anche se dubito che possiamo mai indietreggiare per tutto il cammino verso nessun luogo. Anche quando noi guardiamo al mondo da *qualche altro luogo*, comunque, noi guardiamo ancora al mondo. Guardiamo, infatti, ad un mondo particolare; possiamo vederlo con speciale chiarezza, ma non scopriremo nulla che già non sia qui. Dal momento che il mondo particolare è dunque il nostro proprio mondo, non scopriremo nulla che già non sia qui. Forse questa è una verità generale sulle scoperte (morali) secolari; se è così, essa fa intravedere ciò che perdiamo quando perdiamo la nostra fede in Dio.

Io però ho finora ipotizzato un filosofo che si sforza di vedere più chiaramente, sia pure per linee astratte, la realtà morale che gli sta davanti. Si può, per contrasto, mettere in discussione quella realtà e mettersi in cerca di una verità più profonda, come un fisico che penetra l'atomo. La filosofia morale chiamata utilitarismo, basata sulla verità profondissima che gli esseri umani hanno desiderio di alcune cose e repugnanza per altre, fu probabilmente scoperta in questo modo. L'utilitarismo, ateo nell'origine e radicalmente inconsueto nei suoi esiti, suggerisce ciò che noi guadagniamo imitando la scienza. Bentham, ovviamente, credeva di essersi imbattuto in un insieme di principî oggettivi, e che le applicazioni di questi principî sono, assai spesso, del tutto irriconoscibili come aspetti della vita ordinaria.[3] Impauriti dalla stranezza dei loro stessi argomenti, la maggior parte dei filosofi utilitaristi si attardano sul calcolo della felicità, in modo che produca risultati più vicini a ciò che noi tutti pensiamo. Così essi riportano l'eccezione alla regola: senza fiducia nella rivelazione noi possiamo scroprire solo ciò che sappiamo. La filosofia è un secondo avvento (caso inferiore), che non ci porta la conoscenza millenaristica ma la saggezza della nottola al crepuscolo, benché vi sia anche questa alternativa, che trovo più terrorizzante che attraente: la saggezza dell'aquila allo spuntar del giorno.

Molta gente, forse per buone ragioni, non sarà soddisfatta della saggezza della nottola. Alcuni negheranno la sua oggettività, nonostante il distacco dei filosofi che la cercano; quella non è però una negazione che io voglio difendere. Sono propenso a concordare con la beffarda idea che ha Nagel delle domande dello scettico: quale ragione posso aver per *non* essere indifferente al dolore del mio vicino? Quale ragione posso avere per preoccuparmi, anche solo un poco? Scrive Nagel: «Quale espressione di imbarazzo, [ciò] ha quella caratteristica assurdità filosofica che ci segnala che qualcosa di molto fondamentale è andato male».[4] Sì, ma ciò che causa più preoccupazione di questa assurdità è il senso, che ho già espresso, che i principî morali rivelati in questa o quella filosofia indubbiamente sana sono privi di quel taglio speciale, della forza critica, della rivelazione divina. «Non essere indifferente» non è la stessa cosa che «Ama il prossimo tuo come te stesso». Ed è improbabile che il secondo di questi principî figuri nell'elenco delle scoperte filosofiche, se non altro perché la domanda «Perché dovrei amarlo *tanto*?» non è una domanda assurda. È concepibile che il principio della non-indifferenza, o, più in positivo, della preoccupazione minima, sia un principio critico, ma la sua forza è incerta. Bisognerebbe fare una gran mole di lavoro per determinare la sua relazione con la pratica sociale quotidiana, ed è chiaro che questo lavoro non può esser fatto da un uomo o da una donna che non sta in nessun luogo in particolare, e nemmeno da un uomo o da una donna che stia da qualche altra parte.

Del resto, uomini e donne che non stanno in nessun luogo in particolare potrebbero costruire un mondo morale interamente nuovo imitando la creazione di Dio, piuttosto che le scoperte dei suoi servi. Essi potrebbero accingersi a farlo perché pensano che non vi sia nessun mondo morale effettivamente esistente (perché Dio è morto, o l'umanità è radicalmente alienata dalla natura, o la natura è priva di significato morale); oppure potrebbero accingersi a costruirlo perché pensano che il mondo morale effettivamente esistente è inadeguato, o perché la nostra conoscenza di esso non potrebbe mai avere, come conoscenza, un carattere sufficientemente critico. Potremmo pensare a quest'impresa nei termini che Descartes suggerisce quando descrive il suo progetto intellettuale: «riformare soltanto i miei pensieri e edificare in un fondo tutto mio». Infatti, suppongo, Descartes era veramente lanciato in un viaggio di scoperta «come un uomo che cammina nell'oscurità» alla ricerca della verità oggettiva.[5] Ma nelle analogie che gli saltano alla mente non vi è nessuna verità oggettiva da scoprire e il progetto ha un carattere semplicemente costruttivo:

Si dica similmente dei popoli passati lentamente dallo stato semiselvaggio a quello di civiltà: la loro legislazione, messa insieme via via che i delitti e i litigi ve li hanno costretti, non può essere così perfetta come quella dei popoli che sin dal principio hanno osservato le costituzioni di qualche saggio legislatore. Per questa ragione nessuno Stato può essere così bene ordinato come quello della vera religione, di cui Dio solo è il fondatore. E, per parlare soltanto delle cose umane, io credo che, se Sparta è stata un tempo così fiorente, ciò si deve, non alla bontà delle sue leggi particolari — delle quali ve n'erano alcune abbastanza strane e anche contrarie ai buoni costumi —, ma al fatto che, dettate da uno solo, tendevano tutte a uno stesso fine.[6]

Questo è il sentiero dell'invenzione; il fine è dato dalla morale che noi speriamo di inventare. Il fine è una vita comune dove si realizzerebbe la giustizia, o la virtù politica, o il bene, o qualche altro valore fondamentale.

Siamo così in grado di progettare il mondo morale a questa condizione: che non vi sia nessun progetto preesistente, nessun piano divino o naturale che ci guidi. Come procedere? Abbiamo bisogno di un discorso sul metodo per la filosofia morale, e la maggior parte dei filosofi che hanno camminato sul sentiero dell'invenzione hanno cominciato con la metodologia: un progetto di un metodo di progetto. (Gli esistenzialisti, che non cominciano in quel modo, pur essendo chiaramente impegnati per una morale inventata, sono di poco aiuto nella questione dell'invenzione.) Il requisito cruciale di un metodo di progetto è che esso si risolva nell'accordo. Perciò l'opera del legislatore di Descartes è molto rischiosa se il legislatore non è una figura rappresentativa, che incarna in qualche modo la gamma di opinioni e di interessi che sono in gioco intorno a lui. Noi non possiamo adottare il semplice espediente di rendere il legislatore onnipotente, un despota razionale e benevolo, perché ciò significherebbe fissare un aspetto fondamentale del progetto — la giusta distribuzione del potere — prima ancora che il metodo di progetto sia partito. Il legislatore deve in qualche modo essere autorizzato a parlare per tutti noi, o alternativamente tutti noi dobbiamo essere presenti e ritenuti responsabili dall'inizio. Non è facile vedere come potremmo scegliere un rappresentante, un procuratore dell'umanità. Ma se abbandoniamo la rappresentanza e optiamo per l'alternativa, la presenza universale, produrremo probabilmente più cacofonia che ordine, e il risultato sarà più il prodotto del caso, come scrive Descartes, che della «volontà di uomini ragionevoli».[7]

Ci sono varie soluzioni a questo problema; la più nota ed elegante è quella di John Rawls.[8] La soluzione rawlsiana ha il piacevole risultato che non ha più importanza se l'opera costruttiva o legislativa è intrapresa da una sola persona o da più persone. Privati di ogni conoscenza della loro collocazione nel mondo sociale, dei loro interessi, valori, talenti e relazioni, i legislatori potenziali sono resi, per gli scopi pratici a portata di mano, identici. Non fa differenza se questa gente parla l'un l'altro o uno tra loro parla solo a se stesso: basta che parli uno. Altre soluzioni proposte (quella di Jürgen Habermas, per esempio) sono più ingombranti, dal momento che hanno bisogno che noi immaginiamo delle conversazioni reali, ma solo in circostanze progettate con cura a spostare il discorso al di sopra del livello del confronto ideologico.[9] I partecipanti devono essere liberati dai vincoli del particolarismo, altrimenti non produrranno mai il risultato razionale di cui hanno bisogno, cioè un mondo morale progettato in modo che tutti loro siano preparati a viverci e a pensarlo giusto, quale che sia il posto che toccherà loro di occupare, quali che siano i progetti che cercheranno di raggiungere.

Supponete la morte di Dio e la mancanza di significato della natura — ipotesi apparentemente indolori in questi ultimi giorni — e allora di questi legislatori possiamo dire che essi inventano il mondo morale che sarebbe esistito se un mondo morale fosse esistito senza che essi lo avessero inventato. Essi creano ciò che Dio avrebbe creato se vi fosse un Dio. Questo non è il solo modo di descrivere ciò che accade sul sentiero dell'invenzione. L'analogia con Sparta fatta da Descarters suggerisce una veduta diversa, che secondo me è anche quella di Rawls, una visione minimalista di inventività. Ciò che Licurgo crea non è la città migliore, la città che Dio avrebbe creato, ma solo la città migliore per gli spartani, l'opera, quale che sia, di un dio spartano. Tornerò su questa possibilità in seguito. Devo considerare prima la pretesa più forte, secondo cui il mondo morale che noi inventiamo dietro il velo dell'ignoranza o attraverso una conversazione ideologicamente pacata è il solo mondo che potremmo inventare, universalmente abitabile, un mondo per tutti.

La forza critica di una morale inventata assomiglia più a quella della legge divina che a quella della scoperta filosofica (ovvero, è più vicina alla saggezza dell'aquila che a quella della civetta). Il principio di differenza di Rawls, per prendere un esempio molto discusso, ha qualcosa della novità e della specificità della rivelazione. Nessuno penserebbe di dire che era pura follia chiamarlo in questione. Come la legge divina deriva la sua forza dal suo creatore, così il principio di differenza deriva la sua forza dal processo attraverso il quale esso fu creato. Se noi lo accettiamo, è perché abbiamo partecipato o possiamo immaginare di aver partecipato alla sua invenzione. E se inventiamo un tale principio, possiamo ovviamente inventarne altri quando ne abbiamo bisogno; oppure, possiamo dedurre da un principio un intero sistema di regole e regolamenti. Bruce Ackermann, discutendo della giustizia liberale, riesce a coprire un raggio di questioni più o meno equivalente a quello coperto dall'Esodo e dai codici del Deuteronomio, anche se la sua rivelazione non è data ad una sola ma ad ogni nazione reale e immaginabile.[10] Così, noi creiamo una morale su cui possiamo misurare la vita di qualunque persona, le pratiche di qualunque società.

Naturalmente non è che le vite e le pratiche che misuriamo siano moralmente senza significato finché non le misuriamo. Esse racchiudono i loro valori, che sono distorti — così devono credere i filosofi dell'invenzione — da un metodo di progetto radicalmente imperfetto. Questi valori sono creati, durante un lungo periodo di tempo, dalla conversazione, dalla discussione e dal negoziato politico in circostanze che potremmo meglio chiamare sociali. Il punto essenziale di una morale inventata è di dare ciò che Dio e la natura non danno, un correttivo universale per tutte le differenti morali sociali. Ma perché dovremmo piegarci alla correzione universale? Qual è esattamente la forza critica dell'invenzione del filosofo, presumendo, ancora, che essa sia la sola invenzione possibile? Cercherò di rispondere a queste questioni raccontando una mia storia, una storia tesa a mettere in parallelo e a soppesare certi aspetti della spiegazione rawlsiana di quel che accade nella posizione originale: una caricatura, temo, per cui chiedo scusa in anticipo; ma anche la caricatura ha la sua utilità.[11]

Immaginiamo, allora, che un gruppo di viaggiatori di diversi paesi e differenti culture morali, che parlano lingue diverse, si incontrino in uno spazio neutrale (come lo spazio siderale). Essi devono cooperare, almeno temporaneamente, e se devono cooperare ognuno di essi deve astenersi dall'insistere sui propri (di lui o di lei) valori e pratiche. Perciò noi dichiariamo di essere all'oscuro delle conoscenze che essi hanno dei loro propri valori e delle loro proprie pratiche; e poiché quella conoscenza non è solo personale ma anche sociale, racchiusa nel linguaggio stesso, noi cancelliamo le loro memorie linguistiche e chiediamo loro di pensare e parlare (temporaneamente) in un linguaggio corrotto che sia parassita nella stessa misura di tutti i loro linguaggi naturali, in un esperanto più completo. Quali principî di cooperazione essi adotterebbero? Supporrò l'esistenza di una singola risposta a questa domanda e che i principî dati in quella risposta governino propriamente la loro vita insieme nello spazio che essi occupano ora. Ciò sembra abbastanza plausibile; il metodo di progetto è autenticamente utile per gli scopi a portata di mano. Ciò che è meno plausibile è che si debba pretendere dai viaggiatori di portarsi quegli stessi principî quando vanno a casa. Perché principî appena inventati dovrebbero governare le vite di persone che già condividono una cultura morale e parlano un linguaggio naturale?

Uomini e donne che stanno dietro il velo dell'ignoranza, privi di ogni conoscenza del loro proprio modo di vita, costretti a vivere con altri uomini e donne che ne sono ugualmente privi, troveranno forse, con qualche difficoltà, un *modus vivendi*, non uno stile di vita ma un modo di vivere. Ma anche se questo è l'unico, possibile *modus vivendi* per queste persone in queste condizioni, non ne segue che sia un ordinamento universalmente valido. (Potrebbe, naturalmente, avere una specie di valore euristico — molte cose hanno un valore euristico —, ma io non perseguirò quella possibilità ora.) Qui sembra esservi una confusione: è come se dovessimo prendere una stanza d'albergo o un appartamento in fitto o una casa sicura come modello ideale di casa umana. Lontano da casa, noi siamo grati per il riparo e l'utilità di una stanza d'albergo. Privi di ogni conoscenza di ciò cui somigliava la nostra casa, parlando con gente priva anch'essa della stessa conoscenza, richiesti di progettare stanze in cui ciascuno di noi possa vivere, probabilmente ne verremmo a capo con qualcosa di simile all'Hotel Hilton, anche se non così culturalmente specifico. Con questa differenza: non permetteremmo appartamenti di lusso; tutte le stanze sarebbero esattamente le stesse; o, se vi fossero appartamenti di lusso, il loro solo fine sarebbe quello di procacciare più affari per l'albergo e di metterci in grado di migliorare tutte le altre stanze, a cominciare da quelle che più necessitano di migliorie. Ma anche se i miglioramenti andassero abbastanza oltre, noi moriremmo ancora dalla voglia delle case che sapevamo di avere un tempo, ma che non possiamo più ricordare. Non saremmo moralmente obbligati a vivere nell'albergo che avevamo progettato.

Poiché ho dato per scontato che la mia visione degli alberghi sia ampiamente condivisa, dovrei sottolineare un dissenso significativo, un rigo dal diario di Franz Kafka: «Mi piacciono le stanze d'albergo. Mi sento immediatamente a casa nelle stanze d'albergo, più che a casa, in realtà».[12] Notate l'ironia: non c'è altro modo per trasmettere il senso d'essere nel proprio luogo se non dicendo «a casa». È duro proporre a uomini e donne di abbandonare il sollievo morale che quelle parole evocano. Ma che accade se essi non condividono quel sollievo? Che accade se le loro vite sono come quella del K. di Kafka, o di qualunque esiliato, proscritto, rifugiato o apolide del XX secolo? Per questa gente gli alberghi sono molto importanti. Essi hanno bisogno della protezione delle stanze, di una decente (anche se spoglia) sistemazione umana. Essi hanno bisogno di una morale universale (sia pur minimale), o per lo meno di una morale elaborata in mezzo a stranieri. Ciò che comunque essi generalmente *vogliono* non è di essere permanentemente registrati in un albergo, ma di essere sistemati in una casa nuova, ciò che essi vogliono è una densa cultura morale entro la quale possano sentire un senso di reciproca affezione.

Fin qui la mia storia. Ma c'è un altro modo, più plausibile, di riflettere sul processo dell'invenzione morale. Presumiamo che le morali (sociali) di fatto esistenti incorporino, come pretendono di incorporare, comandi divini o leggi naturali, o, almeno, principî morali validi, comunque questi siano intesi. Il nostro scopo, ora, non è l'invenzione *de novo*; piuttosto, noi abbiamo bisogno di costruire una spiegazione o un modello di qualche morale esistente che ci dia una veduta chiara ed esauriente della forza critica dei suoi principî, senza che ci sia di mezzo la confusione del pregiudizio o dell'interesse personale. Perciò non ci imbattiamo in viaggiatori dello spazio siderale ma in persone facenti parte dello spazio terrestre o sociale. Consultiamo le nostre conoscenze morali, la nostra coscienza riflessa di principio, ma cerchiamo di filtrare, persino di vietare del tutto, ogni senso di ambizione o di vantaggio personale. Il nostro metodo, ancora una volta, è la negazione epistemica, che ora funziona, secondo Rawls, come «un mezzo di rappresentazione».[13] Così, rinunciamo ad ogni conoscenza della nostra posizione in società, dei nostri rapporti ed obblighi privati, ma non, questa volta, alla conoscenza dei valori (quali libertà ed eguaglianza) che condividiamo. Vogliamo descrivere il mondo morale in cui viviamo da «nessun particolare punto di vista» entro quel mondo. Anche se la descrizione è progettata con cura e le sue condizioni immediate sono altamente artificiali, essa è non di meno una descrizione di qualcosa di reale. Perciò è più simile alla scoperta filosofica che alla rivelazione divina. L'inventività del filosofo consiste solo nel trasformare la realtà morale in un tipo ideale.

La morale idealizzata è in origine una morale sociale; non è né divina né naturale, tranne che nella misura in cui crediamo che «la voce del popolo è la voce di Dio» o che la natura umana ci impone di vivere in società — e nessuna di queste vedute ci obbliga ad approvare qualsiasi cosa il popolo dica o qualsiasi ordinamento sociale. Il progetto di modellare o idealizzare una morale esistente dipende, comunque, da un precedente riconoscimento del valore di quella morale. Forse il suo valore è semplicemente questo: che non vi è nessun altro punto di partenza per la speculazione morale. Dobbiamo cominciare da dove stiamo. Il posto dove stiamo, comunque, è sempre un *posto di valore*, altrimenti non vi ci saremmo sistemati. Un tale argomento, mi sembra, è importante, nella stessa misura, tanto per l'invenzione nella sua seconda versione, quella minimalista, quanto per l'interpretazione. La sua importanza viene ammessa dai filosofi dell'invenzione che fanno appello alle nostre intuizioni, a volte nel costruire, a volte nel provare i loro modelli e tipi ideali. L'intuizione è una conoscenza pre-riflessiva, pre-filosofica del mondo morale; essa somiglia alla spiegazione che un cieco potrebbe dare della mobilia di una casa familiare. La familiarità è cruciale. La filosofia morale è qui intesa come una riflessione sul familiare, una reinvenzione delle nostre case.

Questa, comunque, è una riflessione critica, una reinvenzione con un fine: noi dobbiamo correggere le nostre intuizioni con riferimento al modello che costruiamo a partire da queste stesse invenzioni, o dobbiamo correggere le nostre più brancolanti intuizioni con riferimento a un modello che noi costruiamo a partire da intuizioni più sicure. In ogni caso, ci muoviamo avanti e indietro tra immediatezza morale e astrazione morale, tra una comprensione intuitiva e una riflessiva.[14] Ma cos'è che stiamo cercando di comprendere? E come la nostra comprensione di ciò, qualunque cosa sia, acquista forza critica? Chiaramente, a questo punto, noi non stiamo cercando di comprendere la legge divina o di afferrare una morale oggettiva; né stiamo cercando di costruire una città interamente nuova. Ci concentriamo su noi stessi, sui nostri principî e valori, altrimenti l'intuizione non sarebbe d'aiuto. Poiché ciò è anche il punto centrale di coloro che si affidano al sentiero dell'interpretazione, voglio rivolgermi ad essi. Anch'essi affrontano, in un modo molto speciale, il problema della forza critica. Dato che ogni interpretazione è parassita del suo «testo», come può mai costituire una critica adeguata del testo?

L'argomento svolto fin qui è utilmente sintetizzato con un'analogia. I tre sentieri della filosofia morale possono essere paragonati, approssimativamente, alle tre branche del governo. La scoperta somiglia al lavoro dell'esecutivo: trovare, proclamare e poi far rispettare la legge. Far rispettare la legge non è, lo ammetto, un compito filosofico comune, ma è abbastanza probabile che coloro che credono d'aver scoperto la vera legge morale vogliano o credano esser loro dovere farla rispettare, quali che siano le loro preferenze private. Mosè esemplifica questo riluttante senso del dovere. Scrittori irreligiosi come Machiavelli lo hanno chiamato legislatore, ma se ci atteniamo al racconto biblico vediamo che Mosè non legiferò affatto; egli ricevette la legge, la insegnò al suo popolo e si sforzò di fare in modo che fosse obbedita; egli fu un capo politico suo magrado ma, almeno a volte, energico. Il chiaro parallelo filosofico è il re-filosofo di Platone, che non crea il bene ma lo trova e poi si mette, con simile riluttanza, a promulgarlo nel mondo. L'utilitarismo fornisce esempi più chiari, e così il marxismo, un altro esempio di scoperta scientifica.

La scoperta non è essa stessa esecuzione; essa si limita a indicare l'autorità esecutiva. Ma l'invenzione è legislativa sin dall'inizio, perché gli inventori filosofici intendono conferire ai loro principî la forza della legge (morale). Ecco perché l'invenzione è opera dei rappresentanti e delle rappresentanti, che rappresentano tutti noi perché potrebbero essere uno qualunque di noi. L'invenzione è però di due tipi, e questi due tipi corrispondono a due differenti tipi di legislazione e richiedono due differenti tipi di rappresentanza. L'invenzione *de novo* è come la legislazione costituzionale. I legislatori, poiché creano un nuovo mondo morale, devono rappresentare ogni membro possibile o potenziale, cioè chiunque, dovunque viva e quali che siano i suoi valori e i suoi incarichi. L'invenzione minimalista assomiglia di più all'opera di codificazione del diritto. Ora i legislatori, poiché ciò che codificano già esiste, devono rappresentare il popolo per cui ciò che essi codificano esiste, cioè un gruppo di uomini e donne che hanno intuizioni comuni, che sono vincolati a un particolare insieme di principî, per quanto confusi essi possano essere.

La codificazione è ovviamente un'impresa tanto interpretativa quanto inventiva o costruttiva: qui il secondo sentiero corre parallelo al terzo. Ancora, un codice è una legge o un sistema di leggi, mentre un'interpretazione è un giudizio, il lavoro proprio della branca giudiziaria. La pretesa dell'interpretazione è semplicemente questa: che né la scoperta né l'invenzione sono necessarie, perché noi possediamo già ciò che esse pretendono di offrire. La morale, a differenza della politica, non richiede l'autorità esecutiva o la legislazione sistematica. Noi non dobbiamo scoprire il mondo morale, perché vi abbiamo sempre vissuto. Non dobbiamo inventarlo, perché è già stato inventato, anche se indipendentemente da ogni metodo filosofico. Nessun metodo di progetto ha governato il suo progetto, e senza dubbio il risultato è disorganizzato e incerto. È anche molto denso: il mondo morale ha una qualità intrinseca, come una casa occupata da una sola famiglia per molte generazioni, con aggiunte casuali qui e lì e tutti gli spazi disponibili riempiti di oggetti e artefatti pieni di memoria. L'intera cosa, presa come tutto, si presta meno a un modellamento astratto che a una descrizione densa. La discussione morale, in questo scenario, ha un carattere interpretativo; essa somiglia moltissimo al lavoro di un avvocato o di un giudice che si sforza di trovare i significati in una palude di leggi e precedenti in conflitto.

Ma avvocati e giudici, si potrebbe dire, sono legati alla palude morale; è loro compito trovarvi dei significati ed essi non hanno alcun dovere di guardare altrove. La palude giuridica, o meglio, il significato che può esservi trovato, è fornito ai loro occhi di autorità. Ma perché la palude morale dovrebbe avere autorità per i filosofi? Perché essi non dovrebbero guardare altrove, alla ricerca di un'autorità migliore? La morale che scopriamo ha autorità perché l'ha fatta Dio o perché è oggettivamente vera. La morale che inventiamo ha autorità perché chiunque la inventi potrebbe farlo solo finché ha adottato il metodo di progetto appropriato e ha lavorato alla giusta distanza dal suo io immediato, limitato. Ma perché questa morale esistente ha autorità, questa morale che *è* effettivamente il prodotto del tempo, dell'accidente, della forza esterna, del compromesso politico, di intenti fallibili e particolari? Il modo più semplice per rispondere a questa domanda sarebbe di insistere sul fatto che le morali che scopriamo e inventiamo si rivelano sempre, e sempre si riveleranno, notevolmente simili alla morale che già abbiamo. La scoperta e l'invenzione filosofiche (lasciando da parte la rivelazione divina) sono interpretazioni camuffate; in realtà, il sentiero della filosofia morale è uno solo. Io sono tentato da questa veduta, anche se non fa giustizia alla sincera ambizione o, qualche volta, alla pericolosa presunzione degli scopritori e degli inventori. Ma non voglio negare che è possibile camminare sui primi due sentieri, né affermare che la gente che lo fa sta in realtà facendo qualcosa d'altro. Vi sono veramente scoperte e invenzioni — l'utilitarismo è un esempio — ma più nuove sono, meno probabilità hanno di favorire argomenti forti o anche plausibili. L'esperienza dell'argomento morale è compresa di più nel modo interpretativo. Quello che facciamo quando argomentiamo è di dare una spiegazione della morale che di fatto esiste. Quella morale ha autorità per noi perché è solo in virtù della sua esistenza che noi esistiamo come gli esseri morali che siamo. Le nostre categorie, i nostri rapporti, i nostri impegni e aspirazioni sono tutti formati dalla morale esistente e espressi nei termini della morale esistente. La scoperta e l'invenzione sono tentativi di fuga, nella speranza di trovare qualche standard esterno e universale col quale giudicare la vita morale. Lo sforzo può ben essere lodevole, ma è, credo, non necessario. La critica dell'esistenza comincia, o può cominciare, da principî interni all'esistenza stessa.

Si potrebbe dire che il mondo morale ha autorità ai nostri occhi perché ci dà tutto ciò di cui abbiamo bisogno per vivere una vita morale, compresa la capacità di riflessione e di critica. Senza dubbio, alcune morali sono più «critiche» di altre, ma questo non significa che siano migliori (o peggiori). È più probabile che esse diano, grosso modo, ciò di cui i loro protagonisti hanno bisogno. Al tempo stesso, la capacità di critica si estende sempre al di là dei «bisogni» della struttura sociale stessa e dei suoi gruppi dominanti. Non voglio difendere una posizione funzionalista. Il mondo morale e il mondo sociale sono più o meno coerenti, ma non sono mai più che più o meno coerenti. La morale è sempre potenzialmente sovversiva delle classi e del potere.

Cercherò nel capitolo secondo di dire perché la sovversione è sempre possibile e come di fatto opera. Ora, però, devo lavorare sulla pretesa secondo cui la discussione morale ha quasi sempre un carattere interpretativo. La pretesa sembra più plausibile rispetto all'analogia giudiziaria. Infatti, la domanda usualmente posta a giuristi e giudici assume la forma che invita all'interpretazione: qual è la cosa legale o costituzionale da fare? La domanda si riferisce ad un particolare corpo di leggi o a un particolare testo costituzionale, e non v'è alcun modo di rispondere se non dando una descrizione delle leggi o del testo. Né le une né l'altro hanno la semplicità e la precisione di un metro sul quale poter misurare le diverse azioni richieste dalle parti contendenti. Privi di un metro, facciamo affidamento all'esegesi, al commentario e al precedente storico, a tutta una tradizione di argomenti e interpretazioni. Qualunque interpretazione data, naturalmente, sarà discutibile, ma c'è poco disaccordo su cos'è che noi stiamo interpretando o sulla necessità di uno sforzo interpretativo.

La domanda che di solito viene posta agli uomini e alle donne comuni che discutono di morale ha però una forma diversa: qual è la cosa giusta da fare? Ora non è affatto chiaro a che si riferisca la domanda o come dobbiamo procedere nella risposta. Il fatto che la domanda verte sull'interpretazione di una morale esistente e particolare non appare chiaramente, perché è possibile che quella morale, comunque interpretata, non ci dica la cosa giusta da fare. Forse dovremmo cercare, o inventare, una morale migliore. Ma se seguiamo il corso della discussione, se vi prestiamo la dovuta attenzione, se studiamo la sua fenomenologia, vedremo che il suo argomento reale è il significato della particolare vita morale condivisa dai protagonisti. La domanda generale sulla cosa giusta da fare si muta rapidamente in qualche domanda più specifica, sulla carriera aperta ai talenti, diciamo, e poi sull'eguale opportunità, sull'azione positiva[15] e sulle aliquote fiscali. Queste possono essere lette come questioni di diritto costituzionale, che richiedono l'interpretazione giuridica; ma sono anche questioni morali. Ed esse poi ci chiedono di discutere su cosa sia una carriera, su quali tipi di talento dovremmo riconoscere, se l'eguale opportunità sia un «diritto» e, se lo è, quali politiche sociali impone. Di queste questioni si continua a discutere entro una tradizione di discorso morale — in verità, esse nascono solo entro quella tradizione — e se ne continua a discutere interpretando i termini di quel discorso.[16] La discussione è su noi stessi; ciò che è in questione è il significato del nostro modo di vivere. La domanda generale cui finalmente rispondiamo non è affatto quella che abbiamo posto per prima. Essa ha un'aggiunta cruciale: qual è la cosa giusta da fare *per noi*?

Non di meno, è vero che la questione morale viene posta di solito in termini più generali della questione giuridica. La ragione di ciò può essere solo che la morale è di fatto più generale del diritto. La morale stabilisce quelle proibizioni fondamentali — di assassinio, inganno, tradimento, crudeltà — che il diritto specifica e la polizia qualche volta fa rispettare. Noi possiamo, suppongo, indietreggiare, allontanarci dalle nostre ristrette preoccupazioni e «scoprire» queste proibizioni. Ma possiamo anche avanzare, per così dire, nel roveto dell'esperienza morale, dove se ne ha una conoscenza più profonda. Infatti, queste proibizioni sono anch'esse preoccupazioni ristrette, le preoccupazioni, cioè, di ogni comunità umana locale. Noi possiamo, ancora, adottare questo o quel metodo di progetto e «inventare» le proibizioni, come possiamo inventare le sistemazioni minimamente decenti di un albergo. Ma possiamo anche studiare i processi storici reali attraverso cui esse giunsero ad essere riconosciute e accettate, essendo state accettate virtualmente in ogni società umana.

Queste proibizioni costituiscono una specie di codice morale minimo e universale. Poiché esse sono minime e universali (dovrei dire quasi universali, per proteggermi dall'esempio antropologico unico), esse possono essere rappresentate come scoperte o invenzioni filosofiche. Una singola persona, che si immagina come straniero, sradicato, senza casa, perso nel mondo, potrebbe bene essere alla loro altezza: esse sono concepibili come i prodotti di un parlante. Queste proibizioni sono di fatto, comunque, i prodotti di molti parlanti, di conversazioni reali, anche se sempre provvisorie, intermittenti e incomplete. Potremmo pensare ad esse non come proibizioni scoperte o inventate ma, piuttosto, come proibizioni emergenti, opera di molti anni, di esperimenti ed errori, di conoscenze mancate, parziali e incerte; queste proibizioni sono come la regola che proibisce il furto di cui parla David Hume, che nasce (per amore «della stabilità del possesso») «gradualmente, e acquista forza attraverso un lento progresso, e in virtù di una reiterata esperienza degli inconvenienti che sorgono dal trasgredirla».[17]

Per se stesse, tuttavia, queste proibizioni universali cominciano appena a determinare la forma di una morale pienamente sviluppata o vivibile. Esse forniscono una infrastruttura per ogni possibile vita (morale), ma solo un'infrastruttura; prima che qualcuno possa vivere realmente, in un modo o nell'altro, occorre infatti ancora riempire tutti i dettagli sostanziali. Prima di avere qualcosa che somigli a una cultura morale, con giudizi, valori, la bontà di persone e cose tradotte in realtà minute, occorre che le conversazioni diventino continue e le conoscenze si solidifichino. Dal codice minimo non si può semplicemente dedurre una cultura morale o, per la questione di prima, un sistema giuridico. Entrambi sono specificazioni ed elaborazioni del codice, variazioni su di esso. E mentre la deduzione genererebbe una singola comprensione della morale e del diritto, le specificazioni, elaborazioni e variazioni hanno un carattere necessariamente plurale.

Non vedo nessun modo di evitare il pluralismo. Ma se fosse evitato, sarebbe evitato sia nella morale sia nel diritto; in questo senso tra morale e diritto non v'è differenza. Se avessimo, per esempio, definizioni a priori dell'omicidio, della truffa, del tradimento, allora la specificazione morale e giuridica potrebbe in modo plausibile prendere forma come una serie di passi deduttivi aventi un fine necessario. Ma noi non abbiamo tali definizioni, e così in entrambi i casi dipendiamo da significati creati socialmente. La questione morale ha una forma generale perché si riferisce sia al codice minimo sia ai significati sociali, mentre la questione giuridica è più specifica, perché si riferisce solo ai significati sociali stabiliti nella legge. Ma tanto nel rispondere alla prima questione quanto nel rispondere alla seconda, il nostro metodo può essere solo interpretativo. Non v'è altro da fare, perché il codice minimo, per se stesso, non risponde a nessuna delle due domande.

La pretesa che non vi sia altro da fare è una pretesa più forte di quella con la quale ho cominciato. Noi possiamo sempre, suppongo, scoprire o inventare una morale nuova e pienamente sviluppata. In verità, essa dovrà essere pienamente sviluppata, se dovrà raggiungere del tutto l'idea storicamente peculiare della vita umana intesa come un percorso. Ancora, possiamo essere tentati dalla scoperta o dall'invenzione quando vediamo come l'impresa interpretativa vada sempre avanti, senza mai muoversi verso una chiusura definitiva. Naturalmente, la scoperta e l'invenzione non producono, nessuna delle due, una chiusura, ed è interessante riflettere un istante sui modi in cui esse falliscono. Esse falliscono in parte perché vi è un numero infinito di possibili scoperte e invenzioni e una successione infinita di ardenti scopritori e inventori. Ma esse falliscono anche perché l'accettazione di una particolare scoperta o invenzione in un gruppo di persone dà immediatamente la stura a discussioni sul significato di ciò che è stato accettato. Una massima semplice: ogni scoperta e invenzione (la legge divina è un esempio ovvio) richiede l'interpretazione.

Ciò è giustissimo, qualcuno potrebbe dire, e spiega perché l'interpretazione è la forma familiare della discussione morale. Essa ha il suo posto e la sua importanza, ma solo nei periodi di «moralità normale» — che sono così ben fatti come i periodi della scienza normale descritta da Thomas Kuhn —, nell'intervallo tra i momenti rivoluzionari della scoperta e dell'invenzione, momenti che mandano in frantumi i paradigmi.[18] Riguardo alla morale, comunque, questa veduta sa più di melodramma che di storia reale. Certo, ci sono state scoperte e invenzioni storicamente cruciali: mondi nuovi, la forza di gravità, le onde elettromagnetiche, il potere dell'atomo, la stampa, il motore a vapore, l'elaboratore, i metodi efficaci di contraccezione. Tutte queste scoperte e invenzioni hanno trasformato il nostro modo di vivere e di pensare sul modo in cui viviamo. Per di più, esse hanno agito con la forza e la rapidità della rivelazione, come nella tesi del filosofo ebreo medioevale Giuda Halevi sulla religione: «Una religione di origine divina nasce all'improvviso. Le è comandato di sorgere, ed eccola davanti a noi».[19] Possiamo trovare qualcosa di simile nell'esperienza morale (secolare)? Il principio di utilità? I diritti dell'uomo? Forse; ma le trasformazioni morali sembrano avvenire molto più lentamente, e meno decisamente, delle trasformazioni scientifiche e tecnologiche; né esse hanno un carattere così chiaramente progressivo quanto ne hanno, presumibilmente, la conoscenza fattuale o le estese capacità umane. Nella misura in cui possiamo riconoscere un progresso morale, esso ha meno a che fare con la scoperta o l'invenzione di nuovi principî che con la inclusione sotto i vecchi principî di uomini e donne precedentemente esclusi. Ed è più una questione di critica sociale (ben fatta) e di lotta politica che di speculazione filosofica (capace di mandare in frantumi i paradigmi).

È improbabile che le specie di scoperte e invenzioni che possono essere incorporate nei nostri argomenti morali (ignorando per ora le scoperte e le invenzioni che sono imposte coercitivamente) abbiano effetti definitivi su queste discussioni. Possiamo vederlo in piccolo nel corpo di letteratura secondaria cresciuto intorno al principio di differenza di Rawls, centrato in modo estremamente importante sulla questione dell'eguaglianza: quanto egualitario sarebbe di fatto il principio nei suoi effetti? E poi: quanto egualitario si voleva che fosse? Quanto egualitario dovrebbe essere? Lasciate da parte la discussione più profonda sul problema se il principio di differenza è un'invenzione in senso forte o debole, o anche se sia esso stesso un'interpretazione o una cattiva interpretazione della nostra morale esistente. Qualunque cosa sia, esso solleva questioni per le quali risposte definitive e finali non ce ne sono. Il principio di differenza può esser sorto «all'improvviso», ma non sta soltanto «là».

Ancora, alle domande che ho appena posto vi sono risposte migliori e risposte peggiori, e alcune delle migliori saranno innestate sul principio stesso e diventeranno a loro volta oggetti di interpretazione. Come possiamo riconoscere le risposte migliori? A volte, contro il metodo dell'interpretazione in filosofia morale, si dice che noi non saremo mai d'accordo su quali sono le risposte migliori senza l'aiuto di una corretta teoria morale.[20] Ma nel caso che sto immaginando ora, il caso del principio di differenza, noi siamo spinti all'interpretazione perché già siamo in disaccordo sul significato di quali valori sono, o quali alcuni lettori considerano essere, una corretta teoria morale. Non c'è alcun modo definitivo di por fine al disaccordo. Ma la migliore spiegazione del principio di differenza sarebbe quella che lo rendesse coerente con altri valori americani — l'eguale protezione, l'eguale opportunità, la libertà politica, l'individualismo — e lo connettesse a qualche idea plausibile di incentivi e di produttività. Discuteremmo sulla spiegazione migliore, ma sapremmo più o meno che cosa stiamo cercando e avremmo poche difficoltà nell'escludere un largo numero di spiegazioni inadeguate o cattive.

Potrebbe essere utile, a questo punto, contrapporre l'interpretazione come io la intendo alla «caccia ai segni» di Michael Oakeshott. La sua, senza dubbio, è un'impresa interpretativa, ma è notevolmente frenata dal fatto che Oakeshott è pronto a inseguire solo i segni di «tradizioni di comportamento» e di istituzioni sociali quotidiane, senza nessun riferimento a «concetti generali» (come la libertà o l'eguaglianza o, per quella questione, il principio di differenza). Le conoscenze condivise di un popolo, comunque, sono espresse frequentemente in concetti generali, nei suoi ideali storici, nella sua retorica pubblica, nei suoi testi fondamentali, nelle sue cerimonie e nei suoi rituali. Ciò che costituisce una cultura morale non è solo ciò che le persone fanno, ma come spiegano e giustificano ciò che fanno, le storie che raccontano, i principî che invocano. A causa di ciò, le culture sono aperte alla possibilità della contraddizione (tra principî e pratiche) come anche a quella che Oakeshott chiama «incoerenza» (tra le pratiche quotidiane). E allora non è sempre possibile per l'interpretazione assumere la forma che preferisce: «una conversazione, non una discussione». Oakeshott ha ragione ad insistere sul fatto che «non v'è alcun apparato a prova d'errori grazie al quale possiamo dedurre i segni più meritevoli di essere inseguiti».[21] In verità questo apparato non esiste, ma ciò non significa dire che la caccia potrebbe non essere (non sia stata) considerevolmente più avventurosa di quanto egli ammette. E nel corso dell'avventura, le conversazioni si risolvono naturalmente in discussioni.

L'interpretazione non ci consegna ad una lettura positivista della morale effettivamente esistente, a una descrizione di fatti morali come se fossero immediatamente disponibili alla nostra comprensione. Vi sono fatti morali di quel tipo, ma le parti più interessanti del mondo morale sono solo in principio questioni di fatto; nella pratica esse devono essere «lette», rese, costruite, glossate, delucidate, e non semplicemente descritte. Tutti noi siamo impegnati nel fare tutte queste cose; siamo tutti interpreti della morale che condividiamo. Ciò non significa che la migliore interpretazione sia la somma di tutte le altre, il prodotto di un complicato pezzo di ricerca sul campo, non più di quanto la miglior lettura di un poema è una meta-lettura, che assomma le risposte di tutti i lettori reali. La miglior lettura non è di specie diversa, ma di qualità diversa, rispetto alle altre letture: essa illumina il poema in un modo più potente e persuasivo. Forse la miglior lettura è una lettura nuova, che ricorre a un simbolo o a un tropo in precedenza frainteso e spiega da capo l'intero poema. Il caso è lo stesso con l'intepretazione morale: essa confermerà qualche volta, e sfiderà qualche altra, l'opinione ricevuta. E se siamo in disaccordo con la conferma o la sfida, non v'è nulla da fare se non tornare al «testo» — i valori, principî, codici e convenzioni che costituiscono il mondo morale — e ai «lettori» del testo.

I lettori, suppongo, sono la vera autorità: costruiamo le nostre interpretazioni per la loro approvazione.[22] Ma la questione non è chiusa se essi non approvano. Infatti i lettori sono anche ri-lettori che cambiano idea, e anche la po-

polazione di lettori cambia; noi possiamo sempre rinnovare la discussione. Posso esprimere al meglio la mia idea di quella discussione con una storia talmudica, perché il *Talmud* è una raccolta di interpretazioni, di carattere al tempo stesso giuridico e morale. Il retroterra di questa storia è un testo tratto dal Deuteronomio 30:11-14:

Questo comando che oggi ti ordino non è troppo alto per te, né troppo lontano da te. Non è nel cielo, perché tu dica: Chi salirà per noi in cielo, per prendercelo e farcelo udire sì che lo possiamo eseguire? Non è di là dal mare, perché tu dica: Chi attraverserà per noi il mare per prendercelo e farcelo udire sì che lo possiamo eseguire? Anzi, questa parola è molto vicina a te, è nella tua bocca e nel tuo cuore, perché tu la metta in pratica.

Non citerò la storia stessa, ma la racconterò di nuovo: storie di questo tipo sono meglio dette che recitate.[23] La storia riguarda una disputa tra un gruppo di saggi; l'argomento non è rilevante. Rabbi Eliezer stava da solo in minoranza dopo aver portato innanzi ogni immaginabile argomento senza riuscire a convincere i suoi colleghi. Esasperato, egli chiese aiuto a Dio: «Se la legge è come dico io, fa che questo carrubo lo provi». Sicché il carrubo fu sollevato cento cubiti in aria, alcuni dicono che fu sollevato per quattrocento cubiti. Rabbi Giosuè parlò per la maggioranza: «Nessuna prova può essere portata da un carrubo». Allora Rabbi Eliezer disse: «Se la legge è come dico io, fa che questo corso d'acqua lo provi». E l'acqua cominciò subito a scorrere all'indietro. Ma Rabbi Giosuè disse: «Nessuna prova può essere portata da un corso d'acqua». Di nuovo Rabbi Eliezer disse: «Se la legge è come dico io, fa che le mura di questa scuola lo provino». E le mura cominciarono a cadere. Ma Rabbi Giosuè rimproverò le mura, dicendo che esse non avevano il diritto di interferire con le dispute di studiosi sulla legge morale; ed esse smisero di cadere e stanno lì ancora oggi, anche se ad angolo acuto. E allora Rabbi Eliezer fece appello a Dio stesso: «Se la legge è come dico io, che il cielo lo provi». Al che una voce gridò: «Perché disputi con Rabbi Eliezer? In tutte le cose la legge è come dice lui». Ma Rabbi Giosuè si alzò in piedi ed esclamò: «Non è in cielo!».

La morale, in altre parole, è qualcosa su cui dobbiamo discutere. La discussione implica il comune possesso, ma il comune possesso non implica accordo. C'è una tradizione, un corpo di conoscenze morali; e c'è un gruppo di saggi che discutono. Non c'è altro. Nessuna scoperta o invenzione può porre fine alla discussione: nessuna «prova» assume la precedenza sulla (temporanea) maggioranza di saggi.[24] È questo il significato dell'espressione «Non è in cielo». Noi dobbiamo continuare la discussione: forse è questa la ragione per cui la storia non ci dice se, sulla questione sostanziale, avesse ragione Rabbi Eliezer o Rabbi Giosuè. Sulla questione procedurale, comunque, Rabbi Giosuè aveva perfettamente ragione. Il problema, ora, è se Rabbi Giosuè, che rinunciò alla rivelazione, e i suoi discendenti contemporanei, che hanno abbandonato la scoperta e l'invenzione, possano ancora dire qualcosa di utile, cioè qualcosa di critico, sul mondo reale.

[1] Nagel, *The Limits of Objectivity*, in *The Tanner Lectures on Human Values*, vol. I, Utah University Press, Salt Lake City 1980, p. 83. Cfr. Nagel, *The View from Nowhere*, Oxford University Press, Oxford 1986 (trad. it. di A. Besussi, a cura di S. Veca, *Uno sguardo da nessun luogo*, Il Saggiatore, Milano 1988). [Tre capitoli di quest'ultimo libro di Nagel sono tratti da *The Limits of Objectivity*; in caso di concordanza, farò riferimento anche alla traduzione italiana di *The View From Nowhere*. N.d.T.].

[2] *Limits of Objectivity*, pp. 109-110. La critica sociale di Nagel si basa su principî più sostanziali, ma io non sono sicuro in che misura questi principî siano oggettivi. Cfr. Nagel, *Mortal Questions*, Cambridge University Press, Cambridge 1979, capp. 5-8 (trad. it. di A. Besussi, a cura di S. Veca, *Questioni mortali*, Il Saggiatore, Milano 1986).

[3] Bentham suggerisce che l'utilitarismo è la sola spiegazione possibile di quel che la gente comune pensa della morale, ma la sua ambizione non si limita affatto a fornire questa spiegazione. Egli pretende di aver scoperto il fondamento della morale: «La natura ha posto l'umanità sotto il governo di due padroni sovrani, il dolore e il piacere. Spetta solo a loro decidere quel che dobbiamo fare»: *The Principles of Morals and Legislation*, cap. 1. Il resto dei *Principles* suggerisce che questi due padroni non sempre indicano ciò che gli uomini e le donne comuni pensano che *essi* dovrebbero fare.

[4] *Limits of Objectivity*, p. 110.

[5] Descartes, *Discorso sul metodo*, trad. it. a cura di G. Galli e A. Carlini, Laterza, Bari 1954, p. 136.

[6] Ivi, p. 133.

[7] *Ibid.*

[8] Rawls, *A Theory of Justice*, Harvard University Press, Cambridge, Mass., 1971 (trad. it. a cura di S. Maffettone, Feltrinelli, Milano 1983).

[9] Habermas, *Communication and the Evolution of Society*, trad. ingl. di Thomas McCarthy, Beacon, Boston 1979, specialmente il cap. 1. Qui però v'è un dilemma: se le circostanze di ciò che Habermas chiama discorso ideale o comunicazione diretta sono specificate in dettaglio, allora può esser detto solo un limitato numero di cose, e queste cose potrebbero essere probabilmente dette dal filosofo stesso, che rappresenta tutti noi. È come se non avessimo una scelta reale sulle opinioni che alla fine ci formeremo. Cfr. Raymond Geuss, *The Idea of a Critical Theory: Habermas and the Frankfurt School*, Cambridge University Press, Cambridge 1981, p. 72. Se, comunque, le circostanze sono solo approssimativamente specificate, sicché il discorso ideale rassomiglia a un dibattito democratico, allora i partecipanti non possono dire quasi niente, e non v'è alcuna ragione per cui i risultati non dovrebbero (talvolta) finire con l'essere «molto strani e anche contrari alla buona morale».

[10] Ackermann, *Social Justice in the Liberal State*, Yale University Press, New Haven 1980 (trad. it. a cura di F. Romano, Il Mulino, Bologna 1984).

[11] La caricatura ha di mira gli epigoni di Rawls più che lo stesso Rawls, che probabilmente non accetterebbe la sua prima clausola.

[12] Citato in Ernst Pawel, *The Nightmare of Reason: A Life of Franz Kafka*, Farrar, Straus and Giroux, New York 1984, p. 191.

[13] Rawls, *Justice as Fairness: Political Not Metaphysical*, in «Philosophy & Public Affairs», 14, 3, 1985, p. 236.

[14] Cfr. Norman Daniels, *Wide Reflective Equilibrium and Theory Acceptance in Ethics*, in «Journal of Philosophy», 76, 5, 1979, pp. 256-282.

[15] [*Affirmative action*: programmi previsti da leggi e regolamenti federali per ovviare alle discriminazioni razziali o sessuali nelle scuole, nelle università e sui posti di lavoro. *N.d.T.*].

[16] In una società in cui i fanciulli ereditavano gli impieghi e le posizioni dei loro genitori e imparavano in gran parte dai loro genitori ciò che dovevano conoscere di questi impieghi e posizioni, la «carriera aperta ai talenti» non sarebbe plausibile o forse nemmeno un'idea comprensibile. Pianificare una carriera non è un'esperienza umana universale. Né v'è alcuna ragione di pensare che uomini e donne che non riconoscono quella esperienza come la loro o non le attribuiscono la stessa centralità che ha per noi siano moralmente ottenebrati. Dovremmo forse imporgliela. (Come lo faremmo?) Una accresciuta differenziazione sociale la renderà disponibile e fornirà al tempo stesso il linguaggio morale necessario per discutere del suo significato.

[17] Hume, *A Treatise of Human Nature*, libro terzo, parte seconda, sezione seconda (trad. it. a cura di E. Lecaldano, Laterza, Roma-Bari 1981, vol. I, p. 518).

[18] Kuhn, *The Structure of Scientific Revolution*, University of Chicago Press, Chicago 1962 (trad. it. di A. Carugo, Einaudi, Torino 1969).

[19] Halevi, *The Kuzari*, trad. ingl. di Hartwig Hirschfeld, New York, Schocken 1964, p. 58.

[20] È questa l'obiezione di Ronald Dworkin al mio *Spheres of Justice*, Basic Books, New York 1983 (trad.it. di G. Rigamonti, Feltrinelli, Milano 1987). Cfr. il suo articolo *To Each His Own*, in «New York Review of Books», 14 aprile 1983, pp. 4-6 (trad. it. di E. D'Orazio in R. Dworkin, *Questioni di principio*, Il Saggiatore, Milano 1990, pp. 261-268), nonché lo scambio successivo, in «New York Review of Books», 21 luglio 1983, pp. 43-46.

[21] Oakeshott, *Rationalism in Politics*, Basic Books, New York 1962, pp. 123-125.

[22] Intendo lettori nel senso più ampio, non solo altri interpreti, interpreti di professione, e adepti di un tipo o di un altro, membri di ciò che è stata chiamata la comunità degli interpreti. Costoro, benché forse i lettori più rigorosi, son solo un pubblico intermedio. L'inter-

49

pretazione di una cultura morale guarda agli uomini e alle donne che fanno parte di quella cultura, ai membri di quella che potremmo chiamare una comunità di esperienza. È un segno necessario, anche se non sufficiente, di una interpretazione vittoriosa che costoro siano capaci di riconoscersi in essa. Cfr. anche Geuss, *Idea of a Critical Theory*, pp. 64-65.

[23] Baba Metzia 59b. Cfr. anche Gershom Scholem, *The Messianic Idea in Judaism*, Schocken, New York 1971, pp. 282-303.

[24] Cfr. un commento midrashico al Salmo 12:7 («Le parole del Signore sono... argento provato all'aperto dinanzi a tutti gli uomini, raffinato sette volte sette»): «Rabbi Yennan disse: Le parole della *Torah* non furono date come decisioni chiare. Infatti con ogni parola che il Santo, Egli sia benedetto, disse a Mosè, Egli gli offrì quarantanove argomenti con i quali una cosa può essere dimostrata pura, e quarantanove altri argomenti con i quali può essere dimostrara impura. Quando Mosè chiese: Signore dell'Universo, in che modo conosceremo il vero senso di una legge? Dio rispose: Dev'essere seguita la maggioranza». La maggioranza non prende una decisione arbitraria; i suoi membri cercano il migliore dei novantotto argomenti (*The Midrash on Psalms*, trad. ingl. di William G. Braude, Yale University Press, New Haven 1959, I, p. 173).

Capitolo secondo
La pratica della critica sociale

La critica sociale è un'attività così comune — tanta gente, in un modo o nell'altro, vi partecipa — che dobbiamo ritenere, sin dall'inizio, che essa non serva la scoperta o l'invenzione filosofica. Considerate l'espressione stessa: «critica sociale» non è come «critica letteraria», dove l'aggettivo ci dice solo l'oggetto dell'impresa nominata dal sostantivo. L'aggettivo «sociale» ci dice qualcosa sul soggetto dell'impresa. La critica sociale è un'attività sociale. «Sociale» ha una funzione pronominale e riflessiva, piuttosto come «auto» in «autocritica», che nomina al tempo stesso soggetto e oggetto. Senza dubbio, le società non criticano se stesse; i critici sociali sono individui, ma sono anche, per la maggior parte del tempo, membri della società che parlano in pubblico ad altri membri della stessa società che si associano per parlare e il cui discorso costituisce una riflessione collettiva sulle condizioni della vita collettiva.

Questa è una definizione stipulativa della critica sociale. Non intendo sostenere che è la sola definizione possibile o corretta, solo che se noi immaginiamo l'elenco usuale del dizionario, questa definizione dovrebbe venire per prima. L'argomento contrario nega che la riflessione dall'interno appartenga all'elenco. Come potrebbe, infatti, essere una forma soddisfacente di riflessione? Non militano forse le condizioni della vita collettiva — immediatezza, vicinanza, attaccamento emotivo, veduta provinciale — contro una autocomprensione critica? Quando qualcuno dice «il nostro paese», accentuando il pronome possessivo, non è forse probabile che continuerà dicendo «giusto o sbagliato che sia»? Il famoso discorso inaugurale di Stephen Decatur vien preso spesso come un esempio del tipo di impegno che preclude la critica. Naturalmente non lo è, poiché si può anche dire «sbagliato», come fece Carl Schurz al Senato degli Stati Uniti nel 1872: «Il nostro paese, giusto o sbagliato che sia! Quando ha ragione, che sia conservata la sua ragione; quando ha torto, che sia messo sulla via della ragione». Quando il nostro paese si comporta male, esso è ancora nostro, e noi siamo, forse, particolarmente obbligati a criticare le sue politiche. E tuttavia il pronome possessivo è un problema. Più strettamente noi ci identifichiamo col paese, così ci si dice di solito, tanto più difficile è per noi riconoscere o ammettere i suoi torti. La critica richiede una distanza critica.

Non è chiaro, tuttavia, quanta distanza sia la distanza critica. Dove dobbiamo collocarci per essere dei critici sociali? La visione convenzionale è che noi dobbiamo trovarci al di fuori delle comuni circostanze della vita collettiva. La critica è un'attività esterna; ciò che la rende possibile è il distacco radicale, e ciò in due sensi. In primo luogo, i critici devono essere emotivamente distaccati, strappati via dall'intimità e dal calore che deriva dall'esser membri di qualcosa: disinteressati e spassionati. In secondo luogo, i critici devono essere intellettualmente distaccati, strappati via dalle idee provinciali della loro società (presa di regola come una società che si compiace di sé): di spirito aperto e oggettivi. Questa veduta del critico guadagna forza dal fatto che essa si armonizza in pieno con le condizioni della scoperta filosofica e dell'invenzione, e sembra così suggerire che solo scopritori e inventori, o uomini e donne armati di scopritori e inventori, possono essere propriamente radicali.

Il distacco radicale ha il merito aggiuntivo e non insignificante di fare del critico un eroe. È infatti difficile (anche se più difficile in certe società che non in altre) sradicarsi, emotivamente o intellettualmente. Camminare «soli... e nella notte» fa paura, anche se si è sulla via verso la luce. La distanza critica è una realizzazione, e il critico paga un prezzo in *comfort* e solidarietà. Si deve dire, comunque, che la difficoltà di trovare una posizione propriamente distaccata è compensata dalla facilità della critica una volta che la si è raggiunta.

Non vi sorprenderà il fatto che io non considero il distacco radicale come una condizione preliminare della critica sociale, nemmeno della critica sociale radicale. Basta mettere insieme un elenco di critici, dai profeti dell'antico Israele in poi, per vedere a quante poche persone esso si confaccia. La descrizione è diventata convenzionale in parte per una confusione tra distacco e marginalità. I profeti non erano nemmeno essi dei marginali, ma molti dei loro successori lo erano. La marginalità è stata spesso una condizione che motivava la critica e determinava il tono e l'apparenza caratteristici del critico. Non è, comunque, una condizione che promuove disinteresse, mancanza di passione, spirito aperto o oggettività. Né è una condizione esterna. Uomini e donne marginali sono come lo straniero di Georg Simmel, dentro le loro società ma non completamente.[1] Le difficoltà che essi esperiscono non sono le difficoltà del distacco, ma di una connessione ambigua. Liberateli da queste difficoltà ed essi possono anche perdere le ragioni che hanno per unirsi all'impresa critica. Ovvero, la critica apparirà molto diversa rispetto a come si presenta quando è fatta ai margini da «intellettuali alienati» o membri di classi soggette o minoranze oppresse, o anche reietti e paria. Ora noi non dobbiamo immaginare un critico marginale, ma un critico staccato dalla sua propria marginalità. Egli potrebbe ancora essere critico di qualunque società in cui gruppi di uomini e donne sono spinti ai margini (oppure no, vedendo che i margini sono così spesso un ambiente di attività creativa). Ma la sua propria marginalità, se egli la ricordasse, sarebbe solo un fattore distorcente, che taglia alla radice le sue capacità di giudizio oggettivo. Lo stesso sarebbe la sua centralità, il suo stretto coinvolgimento, se egli fosse coinvolto, con i governanti della società. Il distacco sta al marginale e al centrale esattamente nello stesso modo: libero dalle tensioni che legano insieme il marginale e il centrale.

Nella visione convenzionale, il critico non è realmente una figura marginale; egli è — si è fatto — un isolato, uno spettatore, uno «straniero totale», un marziano. Egli trae una specie di autorità critica dalla distanza che pone. Potremmo paragonarlo ad un giudice imperiale in una colonia arretrata. Egli sta fuori, in qualche luogo privilegiato, dove ha accesso a principî «avanzati» o universali e applica questi principî con un rigore (intellettuale) imparziale. Non ha altro interesse nella colonia tranne che portarla dinanzi al tribunale della giustizia. Suppongo che noi dobbiamo concedergli benevolenza; egli desidera il bene degli indigeni. In verità, per rendere l'analogia più stretta, è egli stesso un indigeno, uno dei cinesi della regina, per esempio, o un indiano anglofilo e occidentalizzato, o un marxista parigino che è un algerino. È andato a scuola nel centro dell'impero, diciamo a Parigi o a Oxford, e ha rotto radicalmente col suo provincialismo. Avrebbe preferito restare a Parigi o a Oxford, ma è tornato per dovere nella sua patria sì da poter criticare le istituzioni locali. Una persona utile, possibilmente, ma non il solo o miglior modello di un critico sociale.

Voglio suggerire un modello alternativo, anche se non intendo bandire lo straniero spassionato o il nativo estraniato. Essi hanno il loro posto nella storia critica, ma solo in compagnia e all'ombra di qualcuno completamente diverso e più familiare: il giudice locale, il critico legato all'ambiente, organico (connected), che trae la sua autorità, o non la trae, dal discutere con i suoi concittadini, che, con foga e insistentemente, qualche volta con un considerevole rischio personale (egli può anche essere un eroe), obietta, protesta, fa rimostranze. Questo critico è uno di noi. Forse ha viaggiato e studiato all'estero, ma il suo interesse è per i principî locali o localizzati; se ha scelto nuove idee nei suoi viaggi, egli cerca di metterle in rapporto con la cultura locale, costruendo sull'intima conoscenza che ne ha; egli non è intellettualmente distaccato. Né è emotivamente distaccato; non si augura il bene dei nativi, cerca il successo della loro comune impresa. Questo è lo stile di Alexander Herzen tra i russi del XIX secolo (nonostante il lungo esilio di Herzen dalla Russia), di Ahad Ha-am tra gli ebrei dell'Europa orientale, di Gandhi in India, di Tawney e Orwell in Gran Bretagna. La critica sociale, per costoro, è un argomento interno. L'isolato può diventare un critico *sociale* solo se si organizza per mettersi dentro le pratiche e le istituzioni locali, se vi entra immaginativamente. Ma questi critici sono già dentro. Essi non vedono vantaggi nel distacco radicale. Se esso si confà ai loro scopi, possono giocare al distacco, pretendere di vedere la loro società attraverso gli occhi di uno straniero, come Montesquieu attraverso gli occhi di Usbek. Ma è Montesquieu, il francese ben inserito, non Usbek, che è il critico sociale. L'ingenuità persiana è una maschera per la sofisticazione francese.

Questa descrizione alternativa si confà alla grande maggioranza degli uomini e donne che vengono plausibilmente chiamati critici sociali. Ma non è filosoficamente rispettabile. Cercherò di difendere la sua rispettabilità rispondendo a due legittimi timori sul critico organico. Lascia abbastanza spazio la sua organicità alla distanza critica? E gli standard di cui dispone, interni alle pratiche e alle conoscenze della sua società, sono al tempo stesso appropriatamente critici?

Discuterò prima la seconda domanda. La critica sociale deve essere intesa come uno degli effetti secondari più importanti di un'attività più ampia, chiamiamola l'attività della elaborazione e della affermazione culturale. Questa è l'opera di preti e profeti; maestri e saggi; cantastorie, poeti, storici e scrittori in generale. Non appena queste persone esistono, esiste la possibilità della critica. Non è che essi costituiscano una «nuova classe» permanentemente sovversiva o che siano i portatori di una «cultura antagonista». Essi portano la cultura comune; come sostiene Marx, essi fanno (tra l'altro) il lavoro intellettuale della classe dominante. Ma finché fanno lavoro *intellettuale*, essi aprono la strada al comportamento antagonista della critica sociale.

Qui viene in aiuto l'argomento elaborato per primo da Marx nella *Ideologia tedesca*. La critica sociale marxista è basata su una grande scoperta, una visione «scientifica» del fine della storia. Ma questa visione è possibile sol perché il fine è a portata di mano, perché i suoi principî appaiono già nella società borghese. La critica in altre società è stata basata su altre visioni, su altri principî, e il marxismo vuole fornire una spiegazione generale non solo di se stesso ma di tutte le altre dottrine critiche. Ciò che rende la critica una possibilità permanente, secondo questa spiegazione, è il fatto che ogni classe dominante è costretta a presentarsi come una classe universale.[2] Non v'è alcuna legittimazione nella semplice auto-affermazione. Presi nella trappola della lotta di classe, alla ricerca di tutte le vittorie possibili, i governanti non di meno pretendono che il loro scopo non sia la vittoria ma la trascendenza, di stare, come guardiani dell'interesse comune, al di sopra della lotta. Questa auto-presentazione dei governanti viene elaborata dagli intellettuali. Il loro lavoro è apologetico, ma l'apologia è di una specie tale da fornire ostaggi ai futuri critici sociali. Essa pone standard secondo cui i governanti non vivranno, non possono vivere, date le loro ambizioni particolariste. Si potrebbe dire che questi stessi standard racchiudono interessi della classe dominante, ma essi lo fanno solo sotto la maschera dell'universalismo. Ed essi racchiudono anche interessi della classe inferiore, altrimenti la maschera non sarebbe convincente. L'ideologia tende all'universalità quale condizione del suo successo.

Il marxista italiano Antonio Gramsci fornisce un'analisi utile, benché sommaria, di questa duplice personificazione. Ogni cultura egemonica, egli sostiene, è una costruzione politica complessa. Gli intellettuali che la mettono insieme sono armati di penne, non di spade; essi devono dimostrare la fondatezza delle idee che difendono tra uomini e donne che hanno idee loro proprie. «Il fatto dell'egemonia — sostiene Gramsci — presuppone che si dia conto degli interessi e delle tendenze dei gruppi su cui l'egemonia sarà esercitata, e presuppone anche un certo equilibrio, vale a dire che i gruppi egemonici faranno qualche sacrificio di natura corporativa».[3] A causa di questi sacrifici, le idee dominanti accolgono al loro interno contraddizioni, sicché la critica ha sempre un punto di partenza dentro la cultura dominante. L'ideologia della classe superiore porta in sé possibilità pericolose. Il compagno di Gramsci nel Partito comunista italiano, Ignazio Silone, descrive le origini della critica radicale e della politica radicale esattamente in questi termini. Noi iniziamo, egli scrive,

prendendo sul serio i principî che ci hanno insegnato i nostri educatori e maestri. Questi principî sono proclamati essere i fondamenti della società attuale, ma se li si prende seriamente e li si usa come standard per mettere alla prova la società com'è organizzata... oggi, diventa evidente che tra le due cose c'è una contraddizione radicale. La nostra società, in pratica, ignora del tutto questi principî... Essi, però, sono per noi cose serie e sacre... il fondamento della nostra vita interiore. Il modo in cui la società ne fa scempio, usandoli come maschera e strumento per frodare e imbrogliare la gente, ci riempie di rabbia e di indignazione. Ecco come si diventa rivoluzionari.[4]

Gramsci stesso descrive un processo più complesso, che apparentemente non ha la forza motivante dell'indignazione; esso comincia, comunque, nella stessa condizione. I critici radicali cominciano, egli dice, «un processo di distinzione e di cambiamento nel peso relativo che gli elementi delle vecchie ideologie possedevano: ciò che era secondario e subordinato... viene assunto come principale, diventa il nucleo di un nuovo complesso ideologico e dottrinale».[5] Così nuove ideologie emergono da quelle vecchie tramite interpretazione e revisione. Guardiamo a un esempio concreto.

Considerate il posto dell'eguaglianza nel pensiero marxista e poi nel successivo pensiero critico. Concepita in termini marxisti come il credo delle classi medie trionfanti, l'eguaglianza ha un significato senza dubbio limitato. Essa riguarda, tra i rivoluzionari francesi, diciamo, l'eguaglianza davanti alla legge, la carriera aperta ai talenti e così via. Descrive (e nasconde anche) le condizioni della lotta competitiva per la ricchezza e le cariche. I critici radicali si divertono a «svelare» i suoi limiti: essa garantisce a tutti gli uomini e donne, come scriveva Anatole France, un diritto uguale a dormire sotto i ponti di Parigi. Ma la parola ha significati più ampi — sarebbe meno utile se non li avesse —, che nella ideologia dominante sono subordinati ma non vengono da essa eliminati. Questi significati più ampi hanno, per usare un termine gramsciano, un carattere «di concessione»; con essi o tramite essi le classi medie rispondono a gesti alle aspirazioni della classe inferiore. Qui siamo tutti cittadini, essi gridano; nessuno è migliore di un altro. Non intendo sottovalutare la sincerità del gesto almeno da parte di alcuni di coloro che lo fanno. Se non fosse sincera, la critica sociale avrebbe minor mordente di quanto ne ha. Il critico sfrutta i significati più ampi di eguaglianza, che sono più derisi che rispecchiati nell'esperienza quotidiana. Egli condanna la prassi capitalistica elaborando uno dei concetti-chiave con cui il capitalismo è stato difeso in origine. Egli mostra ai governanti le immagini idealizzate che i loro artisti hanno dipinto e poi la realtà vissuta del potere e dell'oppressione. O, meglio, egli interpreta le immagini e la realtà, perché nessuno dei due è completamente rivelato. L'eguaglianza è il grido di raccolta della borghesia; l'eguaglianza reinterpretata (nel discorso gramsciano) è il grido di raccolta del proletariato.

È del tutto possibile, naturalmente, che la reinterpretazione del critico non venga accettata. Forse la maggior parte degli operai credono che l'eguaglianza realizzata nella società capitalistica è vera eguaglianza o che è un'eguaglianza sufficiente. I marxisti chiamano queste idee «falsa coscienza», sull'assunto che l'eguaglianza ha un solo, vero significato, se non per tutti noi almeno per gli operai, cioè il significato che corrisponde ai loro interessi «oggettivi». Dubito che quest'idea possa essere difesa in modo soddisfacente. Gli operai possono in verità aver torto sulla realtà della loro situazione, come per quanto riguarda la portata reale delle diversità di reddito o le possibilità reali di mobilità verso l'alto. Ma come possono sbagliarsi sul valore e il significato dell'eguaglianza nelle loro vite? Qui la critica dipende meno da affermazioni vere (o false) sul mondo che da interpretazioni evocative (o non evocative) di un'idea comune. La disputa riguarda il significato e l'esperienza; i suoi termini sono posti dal suo ambiente sia culturale sia socio-economico.

Ma non tutti gli argomenti sono similmente interni. Immaginate il critico sociale come un militante marxista o un predicatore cristiano che arriva (come il mio giudice imparziale) in un paese straniero. Lì egli trova dei nativi la cui concezione del mondo o del loro posto nel mondo, così crede il nuovo arrivato, è radicalmente errata. Egli misura l'errore con uno standard del tutto esterno, che si è portato con sé, per così dire, in valigia. Se egli sfida le pratiche locali, lo fa in termini che probabilmente sono, almeno a prima vista, incomprensibili ai nativi. La conoscenza serve la conversione e lo scopo primario del nuovo arrivato; è un compito missionario: offrire una spiegazione persuasiva di un nuovo mondo morale o materiale. Egli deve apparire ai nativi come un'aquila allo spuntar del giorno; essi hanno le loro proprie civette. È solo dopo che le nuove idee sono state naturalizzate nel loro nuovo ambiente, intessute nella struttura della cultura già esistente, che i critici nativi (o il missionario stesso, se anch'egli è stato naturalizzato) possono metterli in uso. Conversione e critica sono attività differenti — piuttosto come la conquista e la rivoluzione. Ciò che delimita gli ultimi termini in ognuna di queste coppie, critica e rivoluzione, è il loro carattere parzialmente riflessivo. Nel linguaggio della polizia, essi sono entrambi, al loro meglio, «faccende interne».

I nuovi arrivati potrebbero anche criticare le pratiche del luogo nei termini di quello che ho chiamato il codice minimo — e questa sorta di critica, anche se potrebbe aver bisogno di spiegazione, non richiederebbe probabilmente la conversione. Considerate l'esempio degli spagnoli nell'America centrale, i quali pretendevano a volte di parlare per il cattolicesimo, a volte solo per il diritto naturale. Essi avevano, senza dubbio, una nozione cattolica del diritto naturale, ma possono ciò nonostante aver avuto ragione nell'opporsi ai sacrifici umani, per esempio, non perché questi erano contrari alla dottrina ortodossa ma perché erano «contro natura». Gli aztechi, probabilmente, non capivano, e tuttavia il contrasto con gli spagnoli non aveva lo stesso grado di esteriorità che avevano le discussioni sul sangue e il corpo di Cristo, la comunione cristiana e così via (e può ben essere legato ai sentimenti, se non alle convinzioni, delle vittime sacrificali).[6] Nel caso, comunque, la critica naturalistica del sacrificio umano da parte dei missionari spagnoli sembra avere un carattere largamente ideologico, una giustificazione della conquista esterna, non della riforma interna o della rivoluzione. Prenderò in considerazione un esempio più semplice di critica minimalista nell'ultimo capitolo.

Se il lavoro e la conversione dei missionari sono moralmente necessari, se il marxismo, o il cattolicesimo, o qualunque altro credo sviluppato sono i soli standard corretti di critica sociale, allora la critica sociale corretta è stata impossibile nella maggior parte dei mondi morali attualmente esistenti. Non di meno, le risorse necessarie per la critica di qualche tipo, e più che un tipo minimalista, sono sempre disponibili, a causa di ciò che un mondo morale è, a causa di ciò che facciamo quando lo costruiamo. La spiegazione marxista dell'ideologia è solo una versione di questa costruzione. Un'altra versione, più familiare ai filosofi contemporanei, potrebbe svilupparsi in questo modo. Uomini e donne sono spinti a costruire e abitare mondi morali per un motivo morale: una passione per la giustificazione. Qualche volta solo Dio può giustificarci, e allora è probabile che la morale assuma la forma di una conversazione con Dio o di una speculazione sugli standard che egli potrebbe, ragionevolmente o irragionevolmente, applicare al nostro comportamento. Questi, in ogni caso, saranno degli standard elevati, e quindi degli standard altamente critici; il sentimento del peccato sorge in parte dal senso che noi non riusciremo mai a vivere secondo quegli standard.

In un'età secolare, Dio è sostituito da altri. Ora noi siamo spinti, come scrive Thomas Scanlon, da un «desiderio di essere in grado di giustificare [le nostre] azioni verso gli altri per motivi che essi non potrebbero ragionevolmente respingere».[7] (Noi non tolleriamo l'irrazionalità nei nostri pari.) Non sono solo i governanti che vogliono essere giustificati agli occhi dei loro sudditi; ognuno di noi vuole essere giustificato agli occhi di tutti gli altri. Scanlon sostiene che questo desiderio è causato immediatamente dalle credenze morali che già abbiamo. Così è, ma è anche esso stesso la causa immediata della fede morale — e poi della discussione e della creatività morali. Noi cerchiamo di giustificare noi stessi, ma non possiamo giustificare noi stessi con noi stessi, e così la morale assu-

61

me la forma di una conversazione con particolari altri soggetti, parenti, amici e vicini; o assume la forma di una speculazione su quali argomenti potrebbero, o dovrebbero, persuadere questa gente della nostra ragione. Poiché noi conosciamo la gente possiamo, dobbiamo, dare a questi argomenti qualche specificità: essi sono più del tipo «ama il prossimo tuo» (con una chiosa opportuna su tutte e tre le parole) che del tipo «non essere indifferente alle sofferenze degli altri». Essi sono elaborati con riferimento ad un discorso morale reale, non semplicemente speculativo: non un solo parlante, ma molti parlanti.

Noi facciamo esperienza della morale come di uno standard esterno perché è sempre, necessariamente, lo standard di Dio o di altri. Ecco anche perché è uno standard critico. Proprio come le morali scoperte o inventate sono critiche «sin dal principio» — altrimenti non vi sarebbe nessun segno caratteristico nella scoperta o nell'invenzione — così la nostra morale quotidiana è anche critica sin dal principio: essa giustifica solo ciò che Dio o altri possono riconoscere come giusto. Noi vogliamo quel riconoscimento, anche se vogliamo anche, qualche volta, fare cose che sappiamo non possono essere giustificate. La morale non s'adatta a questi altri desideri, anche se è sempre possibile interpretarla in una maniera che ve la faccia adattare. Potremmo pensare a un'interpretazione del genere come alla versione privata di un'ideologia. Ma noi viviamo ansiosamente le nostre ideologie; esse sono forzate e imbarazzanti; esse non suonano vere e noi aspettiamo che qualche vicino o amico o ex amico arrabbiato o risentito, la versione privata di un critico sociale, ce lo dica.

Questa spiegazione della morale privata può essere ricapitolata al livello della vita collettiva. Ogni società umana fornisce per i suoi membri — essi forniscono per se stessi attraverso il medio della giustificazione — standard di caratteri virtuosi, di realizzazioni valide, di ordinamenti sociali giusti. Gli standard sono artefatti sociali;

essi sono racchiusi in molte forme differenti: testi giuridici e religiosi, racconti morali, poemi epici, codici di comportamento, pratiche rituali. In tutte le loro forme essi sono soggetti a interpretazione, e sono interpretati in modi sia apologetici sia critici. Non è che le interpretazioni apologetiche sono quelle «naturali», che gli standard morali prontamente si adattano alle pratiche sociali promuovendo dolcezza e benessere, come in qualche utopia funzionalista. Gli standard devono essere interpretati, per adattarsi. Un'interpretazione apologetica prolungata è, di nuovo, un'ideologia. Poiché le pratiche sociali, come le pratiche individuali, sono moralmente recalcitranti, le ideologie sono sempre problematiche. Noi sappiamo che non viviamo secondo gli standard che possono giustificarsi. E se mai ce ne dimentichiamo, il critico sociale appare ricordarcelo. La sua interpretazione critica è quella «naturale», dato ciò che la morale è. Come l'inglese di Shaw, il critico sociale «fa tutto per principio». Ma egli è una figura seria, non comica, perché i suoi principî sono quelli che condividiamo. Essi sono solo apparentemente esterni; in realtà sono aspetti della stessa vita collettiva che si avverte aver bisogno della critica. Gli stessi uomini e donne che agiscono male creano e sostengono gli standard attraverso i quali (almeno qualche volta) essi sanno di agire essi stessi male.

Ma come possiamo riconoscere le interpretazioni migliori e peggiori degli standard morali? Il critico può, naturalmente, capir male; la buona critica sociale è tanto rara quanto la buona poesia o la buona filosofia. Il critico è spesso appassionato, ossessivo, ipocrita; il suo odio per l'ipocrisia dei suoi compagni può ben esser fuori misura della stessa ipocrisia — «il solo male che cammini / invisibile, tranne che a Dio».[8] Come possiamo giudicare la misura appropriata? O ancora, alcune interpretazioni critiche della morale esistente guardano all'indietro, come quelle di Catone; alcune guardano in avanti, come quelle di Marx. Un modo di guardare è migliore dell'altro? Ho già proposto la mia risposta, o la mia non-risposta, a queste domande; esse pongono i termini della discussione morale, e la discussione non ha fine. Essa ha solo punti di arresto temporanei, momenti di giudizio. In una società passiva e decadente, guardare indietro può ben essere la cosa migliore da fare; in una società attivista e progressiva, guardare avanti può essere la cosa migliore. Ma poi noi discuteremo sul significato di decadenza e progresso. Non può il critico indietreggiare da questi argomenti senza fine? Non può staccarsi dalle condizioni che favoriscono ossessione e ipocrisia? Non può dare qualche lettura oggettiva dell'esperienza morale? E se egli non può fare queste cose, non sarebbe meglio dire di lui che è arrabbiato o risentito, piuttosto che accreditargli la qualifica — una qualifica onorevole — di *critico*?

La critica richiede distanza critica. Ma che significa? Nella veduta convenzionale, la distanza critica divide l'io; quando noi indietreggiamo (mentalmente), noi creiamo un doppio. L'io uno è ancora coinvolto, impegnato, limitato, arrabbiato; l'io due è distaccato, imparziale, e guarda silenziosamente l'io uno. La pretesa è che l'io due è superiore all'io uno, almeno in questo senso, che la sua critica è più affidabile e oggettiva, che essa ci racconterà con più probabilità la verità morale sul mondo nel quale il critico e tutti noi viviamo. L'io tre sarebbe anche meglio. La veduta è plausibile, almeno per l'io due, perché noi tutti abbiamo avuto l'esperienza del ricordare con imbarazzo, mortificazione o rimpianto occasioni in cui ci siamo comportati male. Noi formiamo una certa immagine di noi stessi (da una certa distanza), e l'immagine è dolorosa. Ma questa è quasi sempre un'immagine di noi stessi come siamo visti o crediamo d'esser visti da coloro le cui opinioni stimiamo. Noi non guardiamo a noi stessi da nessun luogo in particolare, ma attraverso gli occhi di altre particolari persone — una posizione moralmente, ma non epistemologicamente, privilegiata. Applichiamo a noi stessi standard che condividiamo con gli altri. La critica sociale opera in modo diverso: noi applichiamo standard che condividiamo con gli altri *agli altri*, ai nostri concittadini, amici e nemici. Non ricordiamo con imbarazzo; ci guardiamo intorno con rabbia. Può essere che un critico facente parte delle classi dominanti impari a vedere la società attraverso gli occhi degli oppressi, ma uno degli oppressi, che veda attraverso gli occhi suoi propri, non è meno un critico sociale. Naturalmente, egli si troverà catturato in discussioni su ciò che pretende di vedere e su quelli che dice essere gli standard. Ma egli non può vincere queste dispute indietreggiando; può solo tornare a parlare, in modo più pieno e più chiaro.

La speranza implicita nella visione convenzionale è che la disputa può esser vinta una volta per tutte. Di qui quella figura eroica, lo spettatore perfettamente disinteressato, immaginato come una specie di critico tuttofare, al servizio di tutti. Potremmo chiedere, tuttavia, perché una siffatta persona sarebbe un critico, piuttosto che uno scettico radicale o un semplice spettatore o un interventista per gioco, come gli dèi greci. Forse l'io uno e l'io due non rappresentano gradi diversi di autorità morale, ma solo diversi orientamenti verso il mondo. Arthur Koestler fa un ragionamento di questo tipo quando scrive che vi sono «due piani paralleli nelle nostre menti che dovrebbero essere tenuti separati: il piano della contemplazione distaccata nel segno dell'infinità, e il piano dell'azione in nome di certi imperativi etici». Koestler crede che i due piani coesistono contraddittoriamente. Egli annuncia coraggiosamente, per esempio, che la civiltà europea è condannata: «Questa è, per dir così, la mia verità contemplativa. Guardando al mondo con distacco... non la trovo nemmeno disturbante. Ma mi capita anche di credere nell'imperativo etico di combattere il male».[9] La critica sociale, una questione di imperativi etici, appartiene chiaramente al «piano dell'azione». È curioso che il piano della contemplazione sia tanto più melodrammatico. Ancora, uomini e donne contemplativi, nella lettura di Koestler, non sono critici.

Nella sua difesa del distacco, Nagel insiste sul fatto che l'osservatore distaccato, l'io due, non ha bisogno di essere tranquillizzato dalla sorte della civiltà, o da qualunque altra cosa che accade nel mondo reale, perché egli non ha bisogno di abbandonare le credenze e le motivazioni morali dell'io uno. Ma non vedo come egli possa avere esperienza di quelle credenze e motivazioni nello stesso modo, una volta che ha evacuato il mondo morale entro cui esse hanno la loro realtà immediata e che si è distanziato dalla persona per cui sono reali. «Quando assumiamo la prospettiva oggettiva», scrive Nagel, quasi per confermare il suo scetticismo, «il problema non è che i valori sembrano scomparire, ma che vi sembrano essere troppi, che vengono dalla vita di ciascuno e sommergono quelli che vengono da noi».[10] Concedo che questa è ancora un'esperienza di valori, anche se non del tutto alla maniera comune, e che l'io due è in qualche modo motivato a scegliere dal profluvio dei valori in conflitto quelli che ora gli sembrano migliori — che possono o non possono essere i valori dell'io uno. Ma accetterebbe egli qualunque impegno appassionato per difendere quei valori in un particolare tempo e in un particolare spazio? Sicuramente uno dei motivi standard per distaccarsi è quello di sfuggire all'impegno appassionato (per amore, come in Koestler, della contemplazione nel segno dell'infinito). E se è così, allora un critico che guardi alla società è costretto ad essere più critico di un critico che guarda a se stesso guardando alla società.[11]

Ma c'è una possibilità alternativa. Se l'effetto del distacco è letteralmente il «sommergere» i valori che sorgono dalla vita del critico nel suo tempo e nel suo luogo, allora può aprirsi la via per un'impresa assai più radicale della critica sociale come l'ho descritta io — un'impresa più simile alla conversione e alla conquista: la totale sostituzione della società da cui il critico si è staccato con qualche altra società (immaginaria o reale). La sostituzione, ovviamente, dipende dalla critica di ciò che deve essere sostituito. Non tenterò un'esclusione per definizione: questa è critica sociale. È più spesso, comunque, una forma moralmente non attraente di critica sociale e non una la cui «oggettività» dovremmo ammirare.

Sarà utile, a questo punto, prendere in considerazione, sia pure brevemente, alcuni esempi storici. Ho scelto di cominciare con John Locke e la sua famosa e giustamente ammirata *Lettera sulla tolleranza*. Questo, ovviamente, è un testo critico, anche se fu pubblicato nel 1689, l'anno del Toleration Act, di cui difende i principî. La *Lettera* era stata scritta alcuni anni prima, quando Locke viveva in esilio in Olanda, e si rivolgeva a quelle che erano ancora le vedute convenzionali dell'élite politica inglese. Per di più, essa difende un'idea rivoluzionaria e segna un punto di svolta significativo, perché l'Europa, dopo i lunghi secoli della persecuzione religiosa, era un luogo diverso dall'Europa com'era prima. Come funziona la critica in momenti come questo?

L'esilio di Locke potrebbe esser preso come un distacco dalla politica inglese, almeno dalla politica stabilita e convenzionale. L'esilio, potremmo dire, è una promulgazione letterale di distanza critica. Tuttavia l'Olanda era difficilmente un regno di oggettività, e la presenza di Locke lì non aveva nulla dell'«indietreggiare» filosofico. L'Olanda deve essere sembrata a Locke come un'Inghilterra (leggermente) più avanzata, sicuramente protestante e dedita alla tolleranza. I rifugiati politici non scappano in nessun luogo in particolare; se possono, essi scelgono il loro rifugio, applicando standard che già conoscono, cercando amici e alleati. Così l'esilio di Locke lo legava più strettamente che mai prima di allora alle forze politiche che combattevano contro la «tirannia» Stuart. Lo impegnava ad una causa. E quando egli difendeva la tolleranza religiosa, lo faceva in termini familiari ai suoi compagni politici. La *Lettera* è un libello partigiano, un manifesto a favore dei Whigs.

Ma non è solo quello. Le tesi di Locke pongono i termini del discorso politico per il secolo successivo o anche oltre, e tuttavia nel punto cruciale della *Lettera* egli guarda risolutamente indietro e invoca un'idea che non figura molto nella politica Whig o nelle filosofie dell'Illuminismo — l'idea della salvezza personale. Locke si appella al significato della salvezza nel pensiero e nella pratica protestanti. «Inutilmente», egli scrive, «l'incredulo assume come abito certi costumi esteriori, perché per piacere a Dio è indispensabile la fede e la sincerità interiore». La *Lettera* fornisce una lettura particolare, ma non idiosincratica o stravagante, della teologia luterana e calvinista. In nessun senso essa richiede di sostituire quella teologia o il mondo morale del protestantesimo inglese. Locke avanza verso una conclusione potente (che Rousseau sembra aver copiato e frainteso): «alla salvezza l'uomo non può esser costretto... deve essere lasciato a se stesso e alla sua coscienza».[12] Qui Locke non parla nel linguaggio nuovo dei diritti naturali; è il vecchio linguaggio del «solo la fede può salvare». Ma le sue frasi suggeriscono come si potrebbe andare dal vecchio al nuovo — non tanto scoprendo diritti quanto interpretando la fede, «la sincerità interiore», e la coscienza. (Perciò l'uso lockeano del linguaggio dei diritti non fu fonte di sorpresa per i suoi contemporanei.) Dato ciò che è la salvezza, egli dice, o, meglio, dato ciò che noi intendiamo per salvezza (dove il pronome non si riferisce solo ai compagni d'esilio di Locke), la persecuzione non può servire i fini proclamati dai suoi sostenitori. È un'offesa all'io morale, dunque all'io fisico, e nulla più.

Argomentare a favore della tolleranza ci può sembrare probabilmente, oggi, un tipo ideale di un'impresa spassionata. La fede religiosa, così crediamo, favorisce passione, fanatismo, e poi persecuzione; la tolleranza è il prodotto dello scetticismo e del disinteresse. Nella pratica, la tolleranza è più spesso il prodotto dell'esaurimento; passata ogni passione, non resta altro che la coesistenza.

Ma si può immaginare senza difficoltà una difesa filosofica, che cominci dalla osservazione distaccata della follia della guerra di religione. L'ardore teologico della persecuzione sembra in qualche modo diminuito una volta che riconosciamo, da una certa distanza, il valore di ogni e ciascuna vita umana. Per molti inglesi del Seicento, comunque, e tra essi probabilmente Locke, il valore di ogni e ciascuna vita umana era strettamente legato all'idea di coscienza, della scintilla divina presente in ciascuno di noi. La tolleranza era essa stessa una questione teologica, una posizione difesa con tanto zelo quanto qualunque altra nelle guerre in corso. Il distacco potrebbe fornire una ragione (distanziata) per sostenere quella posizione; non fornisce una ragione, o in ogni modo la ragione di Locke, per accettarla. In verità, mettere in evidenza la distanza critica può essere qui un errore, se ci porta a mancare il carattere sostanziale del ragionamento di Locke e a trascurare la sua collocazione intellettuale: dentro e non fuori una tradizione di discorso teologico; dentro e non sopra la lotta politica.

L'opposizione, assai più che il distacco, è ciò che determina la forma della critica sociale. Il critico prende posizione in conflitti reali o latenti; egli si pone contro le forze politiche dominanti, sì da essere, a volte, costretto all'esilio in paesi stranieri o a quell'esilio interiore che noi chiamiamo «alienazione». Non è facile, lo ammetto, immaginare John Locke come un intellettuale alienato, data la sua centralità nella nostra tradizione politica. Benché egli scrivesse anonimamente di politica e religione, facendo spazio al suo radicalismo, coltivò nondimeno la centralità, richiamandosi nel *Secondo Trattato*, per esempio, a quel conservatore «giudizioso», Richard Hooker, e sempre invitando i lettori ad ammirare la sua propria assennatezza. Questa, senza dubbio, era una questione di prudenza, e di temperamento, e di fortuna: i compagni politici di Locke erano uomini potenti, ed egli può aver intuito che il suo esilio sarebbe stato, come fu, breve. La prudenza fu una scelta saggia. Quando la sua *Lettera* fu pubblicata, i suoi amici stavano al potere. Non è che queste persone raggiungano il distacco — lungi da ciò — ma la loro connessione ai comuni valori e tradizioni di discorso è assai più problematica di quanto lo fosse quella di Locke. Essi sono tentati da una specie di commiato molto diverso da quello suggerito dall'idea filosofica dell'indietreggiare, e anche diversa dall'esilio di Locke. Essi sono tentati di dichiarare uno stato di guerra — e poi di unirsi all'altra parte.

Gli esempi più semplici vengono dalla storia della guerra stessa, specialmente dalla guerra interventista e coloniale. Ma prima voglio tornare brevemente alla spiegazione marxista dell'ideologia e della lotta di classe. È uno dei fallimenti maggiori del marxismo il fatto che né Marx né alcuno dei suoi più importanti seguaci intellettuali abbiano mai sviluppato una teoria morale e politica del socialismo. Le loro tesi presupponevano un futuro socialista — senza oppressione o sfruttamento — ma la forma precisa di quel futuro veniva raramente discussa. Quando i marxisti scrivevano critica sociale (piuttosto che dotte analisi delle leggi dello sviluppo capitalistico), questa presupposizione forniva loro uno sfondo rassicurante. La forza della loro critica derivava, comunque, dalla denunzia dell'ipocrisia borghese — come nel caustico commento di Marx sugli apologeti inglesi della giornata lavorativa di dodici ore e della settimana di sette giorni: «in questa terra di sabbatari!».[13] I marxisti non intrapresero mai il tipo di reinterpretazione delle idee borghesi che avrebbe potuto produrre il «nuovo complesso ideologico e dottrinale» di Gramsci. La ragione di questo fallimento sta nella loro idea della lotta di classe come una guerra reale nella quale il loro compito, come intellettuali, era semplicemente quello di sostenere gli operai. Implicitamente, qualche volta esplicitamente, essi respingevano l'idea della critica sociale come una riflessione collettiva sulla vita collettiva, perché negavano la realtà della vita collettiva, di valori comuni e di una tradizione comune. Anche il succinto appello di Marx all'idea del riposo del sabato è sufficiente per suggerire la follia di questo diniego, ma il diniego è nondimeno una forza di prim'ordine nel marxismo. Esso spiega il carattere essenzialmente polemico e agitatorio della critica marxista e la sempre presente disponibilità ad abbandonare «l'arma della critica» per «la critica delle armi».

In un certo senso, impropriamente i marxisti vengono chiamati critici della società borghese: il nocciolo della loro politica non sta nel criticare, ma nel rovesciare la borghesia. Essi sono invece critici degli operai nella misura in cui gli operai sono prigionieri dell'ideologia e così mancano di adempiere il loro ruolo storico di agenti del rovesciamento. I marxisti spiegano il fallimento invocando la teoria della falsa coscienza, cui potremmo pensare come al loro gesto verso i valori comuni. La teoria riconosce il popolo, ma lo tratta come una specie di errore collettivo — perdendo così un'opportunità critica per descrivere il socialismo in termini socialmente validi e comprensibili. La sola alternativa è quella di non descrivere affatto. Scoprire o inventare un insieme di valori socialisti non sembra essere stata una possibilità pratica. Perché gli operai dovrebbero giocarsi le loro vite per *quello*? Marx avrebbe fatto meglio a prendere sul serio la sua descrizione metaforica della nuova società che cresceva nel grembo della vecchia.

Ma almeno gli scrittori marxisti sono stati onestamente dei critici coerenti dell'ideologia della classe operaia e quindi dell'organizzazione e della strategia dei movimenti della classe operaia. C'è un altro modo di passare all'altra parte che rinuncia completamente alla critica. Considerate il caso di Jean-Paul Sartre e della guerra d'Algeria. Sartre faceva mostra di credere che l'intellettuale è un critico permanente. Separato dalla propria classe dalla sua ricerca di universalità, egli si unisce al movimento degli oppressi. Ma anche qui egli non è assimilabile: «non può mai rinunciare alle sue facoltà critiche, se deve conservare il significato fondamentale dei fini perseguiti dal movimento». Egli è il «guardiano dei fini fondamentali», cioè dei valori universali. L'intellettuale realizza questa sua funzione di salvaguardia attraverso una versione sartriana di «indietreggiamento», cioè «criticando costantemente e radicalizzando [se stesso]». Ma questa via alla universalità è una via pericolosa. Avendo «rifiutato» quello che Sartre chiama il «condizionamento piccolo-borghese», l'intellettuale può trovarsi senza nessun valore concreto e sostanziale. L'universalità diventa una categoria vuota per uomini e donne decondizionati, sicché il loro obbligo verso il movimento degli oppressi è (come Sartre in un punto dice che dovrebbe essere) «incondizionato». Una volta che si sono legati al movimento degli oppressi, si suppone che essi riscoprano la tensione e la contraddizione: la loro è «una coscienza divisa, che non può mai essere riconciliata».[14] Nella pratica, comunque, questo legame incondizionato può sembrare una riconciliazione; almeno, può produrre i sintomi della totalità. Tutto ciò possiamo vederlo con chiarezza nella stessa vita di Sartre, il quale, dopo essersi legato ai nazionalisti algerini, sembrava incapace di una parola critica sui loro principî e le loro politiche. Da allora in poi egli dirige le sue idee, come con una maggiore giustificazione poteva fare un soldato col suo fucile, in una sola direzione.

Naturalmente, Sartre era un critico, e un critico valoroso e coerente, della società francese — della guerra d'Algeria e poi della condotta della guerra, entrambe viste come conseguenze necessarie del colonialismo francese. Ma poiché egli si faceva passare da nemico e anche da «traditore», quasi che accettasse, con altezzosità caratteristica, l'accusa dei suoi nemici di destra, fece mancare il terreno alla sua impresa.[15] Un nemico non è riconoscibile come critico sociale; non ne ha il livello. Dai nostri nemici ci aspettiamo la critica, e al tempo stesso la minimizziamo. E la scarsa considerazione in cui teniamo questa critica è tanto più ovvia se la critica è fatta in nome di principî «universali» applicati solo a noi. Ma forse dovremmo pensare a ciò per cui Sartre si spacciava e alla sua elaborata descrizione del «ruolo» del critico come una specie di cortina fumogena dietro la quale egli e i suoi amici si impegnavano in una nota politica di opposizione interna. Certamente, i principî che egli applicava erano ben noti in Francia; è lì, in verità, che i capi dei nazionalisti algerini li avevano imparati. Gli intellettuali francesi difficilmente dovevano indietreggiare o sottoporsi ad auto-critica al fine di scoprire, diciamo, l'idea di auto-determinazione. L'idea era già la loro; essi dovevano solo applicarla, vale a dire estendere la sua applicazione all'Algeria. Ciò che impediva a Sartre di adottare quest'idea della sua propria attività era la sua concezione della critica come guerra. La guerra era reale abbastanza, ma la critica della guerra era un'impresa distinta e separata. Unite le due cose e la critica è, com'era nel caso di Sartre, corrotta.

Vi sono, quindi, due estremi (la descrizione si adatta, anche se inesatta): il distacco filosofico e un impegno «proditorio», che indietreggia e diserta. Il primo è una precondizione del secondo; lo scarso legame con la società favorisce, o può favorire, il legame eccessivo a qualche altra cosa teoretica o pratica. Il terreno proprio della critica sociale è il terreno che il filosofo distaccato e il «traditore» sartriano hanno ugualmente abbandonato. Ma questo terreno consente una distanza critica? Ovviamente sì, altrimenti avremmo assai meno critici di quanti ne abbiamo. La critica non richiede che noi si debba indietreggiare dalla società nel suo insieme, ma solo che ci si allontani da certi tipi di rapporti di potere entro la società. Non è il legame ma l'autorità e il dominio ciò da cui dobbiamo prendere le distanze. La marginalità è un modo di stabilire (o di fare esperienza di) questa distanza; certi tipi di ritiro interno forniscono altre vie. Sono incline a pensare che qualcosa di simile è un'esigenza della vita intellettuale in generale, come nel consiglio dato da un saggio talmudico ad aspiranti saggi: «Amate il lavoro, non dominate gli altri e non cercate mai l'amicizia di funzionari pubblici».[16] Il reale esercizio del potere e l'ambizione machiavellica a bisbigliare nell'orecchio del principe: questi sono ostacoli reali alla pratica della critica, perché rendono difficile guardare con occhi aperti a quegli aspetti della società che più necessitano di esame critico. Ma l'opposizione non è un ostacolo del genere, anche se la nostra oggettività quando siamo all'opposizione non è maggiore di quando siamo al potere.

Pensate per un momento alla distanza critica in quelle categorie di età che vengono caricaturizzate e appaiono leggermente comiche. I vecchi sono critici piuttosto come lo era Catone: essi credono che le cose sono andate continuamente declinando dalla loro giovinezza. I giovani sono critici piuttosto come lo era Marx: per loro il meglio deve ancora venire. Età e giovinezza contribuiscono entrambi alla distanza critica; lo sguardo acritico presumibilmente sta in mezzo. Ma i principî dei vecchi e dei giovani non sono distanti, e certamente non sono oggettivi. I vecchi ricordano un tempo che non è molto lontano. I giovani sono appena socializzati: se (a volte) essi sono dunque radicali e idealisti, ciò dice qualcosa sul contenuto intellettuale della socializzazione. Ciò che rende possibile, o relativamente facile, la critica per entrambi questi gruppi è una certa qualità del non essere coinvolti, o del non essere pienamente coinvolti, nelle forme locali dell'avere e dello spendere, del non essere responsabili per ciò che accade, del non avere un controllo politico. I vecchi possono aver abbandonato il controllo con riluttanza; i giovani possono essere ansiosi di ottenerlo. Ma volenti o nolenti, entrambi i gruppi stanno un po' da parte. Essi sono, o possono essere, degli importuni.

Possono stare un po' al margine, ma non fuori: la distanza critica è misurata in centimetri. Benché vecchi e giovani non abbiano il controllo delle più importanti imprese economiche e politiche della loro società, essi non sono dunque privi di qualche obbligo verso il successo di quelle imprese, almeno del loro successo eventuale. Essi vogliono che le cose vadano bene. Questo è anche l'atteggiamento comune del critico sociale. Egli non è un osservatore distaccato, anche quando guarda alla società che abita con uno sguardo fresco e ingenuo. Non è un nemico, anche quando è fieramente contrario a questa o quella pratica prevalente o ordinamento sociale. La sua critica non richiede né distacco né inimicizia, perché egli trova una giustificazione per l'impegno critico nell'idealismo — anche se è un idealismo ipocrita — del mondo morale realmente esistente.

Ma questo è un quadro del critico sociale come comunemente è; non è un'immagine del critico sociale ideale. Confesso che non posso immaginare una tale persona, non, almeno, se dobbiamo immaginarla come un singolo tipo di persona, con un singolo (oggettivo) punto di vista e un singolo insieme di principî critici. Non di meno, ho fatto in modo di contrabbandare nel mio quadro un certo mio idealismo, che è diverso dai vari e locali idealismi dei reali critici sociali. Ho, nient'affatto surrettiziamente, attribuito valore al legame del critico con la sua società. Ma perché il legame dovrebbe essere in generale una cosa da valutare positivamente, dato che le società sono così diverse? La critica lavora meglio, naturalmente, se il critico è in grado di appellarsi a valori locali, ma non è che la critica non funzioni affatto se il critico non è in grado di farlo o non vuole farlo. Considerate il caso degli intellettuali bolscevichi in Russia, che Gramsci ha sintetizzato in un grazioso paio di frasi:

Una élite di persone tra le più attive, energiche, intraprendenti e disciplinate, emigra all'estero, assimila la cultura e le esperienze storiche dei paesi più progrediti dell'Occidente, senza perciò perdere i caratteri più essenziali della propria nazionalità, senza cioè rompere i legami sentimentali e storici col suo popolo; fatto così il suo garzonato intellettuale, rientra nel paese, costringendo il popolo ad un forzato risveglio, ad una marcia in avanti accelerata, bruciando le tappe.[17]

Il riferimento ai «legami sentimentali» è necessario per spiegare perché questi intellettuali intraprendenti, dopo aver assimilato la cultura occidentale, non rimasero in Occidente. Essi videro il sole, ma nondimeno tornarono nella caverna. Una volta tornati, comunque, essi non erano in apparenza molto animati dal sentimento. Avevano portato con sé una grande scoperta — di carattere più scientifico che morale — per amore della quale avevano fatto un lungo viaggio, non solo nello spazio: essi erano andati in tal modo avanti nel tempo (assai più di Locke in Olanda). L'avanzamento teorico era la forma del loro distacco dalla vecchia Russia. Ora essi mettevano la Russia a confronto con una dottrina vera che non aveva radici russe. La critica sociale bolscevica fa ricorso pesantemente, senza dubbio, a fatti e tematiche russi. Era necessario, scrisse Lenin, «raccogliere e utilizzare ogni granello di protesta, anche rudimentale», e la protesta rudimentale, a differenza della scoperta dottrinale, è sempre un fenomeno locale.[18] Ma questo tipo di critica aveva un carattere crudemente strumentale. I leader bolscevichi non fecero nessuno sforzo serio per legarsi ai valori comuni della cultura russa. Ecco perché, una volta che ebbero preso il potere, essi furono costretti a «costringere il popolo ad un risveglio forzato».

Di Lenin e dei suoi amici sono tentato di dire che essi non furono affatto dei critici sociali, perché ciò che scrissero aveva un carattere strettamente analitico e angustamente agitatorio. Ma probabilmente è meglio dire che essi furono dei cattivi critici sociali, che guardavano alla Russia da una grande distanza; ciò che vedevano semplicemente non gli piaceva. Similmente, essi furono dei cattivi rivoluzionari, perché presero il potere con un *coup d'état* e governarono il paese come se lo avessero conquistato. Il gruppo di radicali russi che si autodefinirono socialrivoluzionari permette un utile confronto. I socialrivoluzionari lavorarono duro per recuperare i valori comunali del villaggio russo contro il nuovo capitalismo rurale. Essi raccontavano una storia sul *mir*. Sospetto che questa storia, come la maggior parte di queste storie, fosse in gran parte inventata. I valori, tuttavia, erano valori reali, cioè riconosciuti e accettati da molti russi, anche se non erano mai stati istituzionalizzati. E così i socialrivoluzionari svilupparono una critica dei rapporti sociali nella campagna russa non priva di una certa (non voglio esagerare) ricchezza, di dettagli e sfumature, una critica comprensibile alla gente i cui rapporti erano quelli. I bolscevichi, al contrario, erano o incomprensibili o insinceri, oscillando erraticamente avanti e indietro tra teoria marxista e politica opportunista.

Il problema della critica senza legami organici, e quindi della critica che deriva da standard morali scoperti o inventati *ex novo*, è che essa costringe coloro che la esercitano a pratiche manipolative e costrittive. Molti, naturalmente, resistono a quella costrizione; distacco e obiettività sono difese innate contro di essa. Ma nella misura in cui il critico vuole essere efficace, vuol portare la sua critica a casa (anche se la casa, in un certo senso, non è più la sua), si trova egli stesso portato all'una o all'altra versione di una politica priva di attrattiva. È per questa ragione che ho cercato di distinguere la sua impresa dalla riflessione collettiva, dalla critica dall'interno o, come viene a volte chiamata, dalla «critica immanente». La sua è una specie di critica asociale, un intervento esterno, un atto coercitivo, che nella forma è intellettuale ma che punta alla sua controparte fisica. Forse vi sono alcune società così chiuse in se stesse, dai confini così rigidi anche nelle loro giustificazioni ideologiche, da richiedere una critica asociale; nessun altro tipo di critica è possibile. Forse, ma personalmente sono convinto che società di questo tipo si trovano più probabilmente nei racconti di fantascienza che nel mondo reale.[19]

A volte, tuttavia, anche nel mondo reale, il critico è forzato ad una specie di asocialità, non perché abbia scoperto nuovi standard morali, ma perché ha scoperto una nuova teologia o cosmologia o psicologia, ignota ai suoi compagni o persino scandalosa, da cui sembrano derivare argomenti morali. Freud è il migliore esempio moderno. La sua critica della morale sessuale avrebbe potuto esser basata, come critiche simili furono basate in seguito, su idee liberali di libertà e individualità. Freud, invece, parlava a partire dalla sua teoria psicologica appena scoperta. Egli fu, in verità, un grande scopritore, un'aquila tra gli scopritori, e poi un critico eroico delle leggi e delle pratiche repressive. E tuttavia una politica freudiana o terapeutica sarebbe tanto poco attraente, tanto manipolativa, quanto qualsiasi altra politica fondata sulla scoperta e distaccata dalle conoscenze locali. È una buona cosa, allora, il fatto che né la critica né la politica di opposizione dipendono da scoperte di questo tipo. La critica sociale è meno il frutto pratico della scoperta scientifica che il cugino istruito di una comune protesta. Noi diventiamo critici naturalmente, per così dire, elaborando su morali esistenti e raccontando storie su una società più giusta della nostra, anche se mai del tutto interamente diversa da essa.

È meglio raccontare storie — meglio anche se non v'è nessuna storia definitiva e migliore, meglio anche se non v'è nessuna storia ultima che, una volta raccontata, lascerebbe tutti i futuri cantastorie senza impiego. Capisco che questa indeterminatezza provoca, non senza ragione, una certa oppressione filosofica. E da ciò consegue tutto l'elaborato apparato di distacco e di obiettività il cui scopo non è di facilitare la critica ma di garantire la sua correttezza. La verità è che non v'è alcuna garanzia, non più di quanto v'è un garante. Né v'è una società, che aspetti di essere scoperta o inventata, che non avrebbe bisogno delle nostre storie critiche.

[1] *The Sociology of Georg Simmel*, trad. ingl. e cura di Kurt H. Wolff, Free Press, New York 1950, pp. 402-408.

[2] Marx e Engels, *L'ideologia tedesca*, trad. it. di B. Munari, Editori Riuniti, Roma 1977, p. 37: «Infatti ogni classe che prenda il posto di un'altra che ha dominato prima è costretta, non fosse che per raggiungere il suo scopo, a rappresentare il suo interesse come interesse comune di tutti i membri della società, ossia, per esprimerci in forma idealistica, a dare alle proprie idee la forma dell'universalità».

[3] Citato in Chantal Mouffe, *Hegemony and Ideology in Gramsci*, in Mouffe (a cura di), *Gramsci and Marxist Theory*, Routledge and Kegan Paul, London 1979, p. 181.

[4] Silone, *Bread and Wine*, trad. di Gwenda David e Eric Mosbacher, Harper and Brothers, New York 1937, pp. 157-158. La carriera di Silone mostra che si cessa di essere rivoluzionari allo stesso modo, confrontando il credo del partito rivoluzionario con la sua prassi effettiva.

[5] Gramsci, *Note sul Machiavelli, sulla politica e lo Stato moderno*, Einaudi, Torino 1953, p. 83. Lo stesso argomento può esser formulato riguardo allo stesso credo borghese. Così Alexis de Tocqueville sui radicali del 1789: «Fui sempre persuaso che, a loro insaputa, avessero serbato, dell'antico regime, la maggior parte dei sentimenti, delle abitudini, delle idee stesse che li avevan sorretti nel guidare la Rivoluzione che quello distrusse»: *L'antico regime e la rivoluzione*, in *Scritti politici*, a cura di N. Matteucci, Utet, Torino 1969, vol. I, p. 595.

[6] Cfr. Bernice Hamilton, *Political Thought in Sixteenth-Century Spain: A Study of the Political Ideas of Vitoria, De Soto, Suarez, and Molina*, Oxford University Press, Oxford 1963, pp. 125-129. Vitoria sostiene che la Spagna non ha alcun diritto di imporre la legge naturale in America centrale poiché gli indiani non «riconoscono» nessuna legge del genere, ma che essa ha un diritto giusnaturalistico di difendere l'innocente: «Nessuno può dare a un altro uomo il diritto di ucciderlo o per cibo o per sacrificio. Per di più, è fuor di dubbio che nella maggior parte dei casi queste persone sono uccise contro la loro volontà — i bambini, per esempio — sicché è legale proteggerle». Citato in *Political Thought*, p. 128.

[7] Scanlon, *Contractualism and Utilitarianism*, in Amartya Sen e Bernard Williams, *Utilitarianism and Beyond*, Cambridge University Press, Cambridge 1982, p. 116.

[8] John Milton, *Paradise Lost*, versi 683-684.

[9] Koestler, *Arrow in the Blue*, Stein and Day, New York 1984, p.133.

[10] *Limits of Objectivity*, p. 115 (cfr. T. Nagel, *Uno sguardo da nessun luogo*, trad. cit., pp. 181-182).

[11] Ciò suggerisce che l'io due sarebbe l'autore preferito di una storia o sociologia della critica, forse anche di una filosofia della critica (il mio io due sta scrivendo queste parole). Ma l'io uno è il critico preferito.

[12] Locke, *A Letter Concerning Toleration*, introduzione di Patrick Romanell, Bobbs-Merrill, Indianapolis, 1950, pp. 34, 35 (trad. it. a cura di D. Marconi in *Scritti sulla tolleranza*, Utet, Torino 1977, p. 153).

[13] Marx, *Il Capitale*, trad. it. di D. Cantimori, Editori Riuniti, Roma 1970, vol. I, pp. 287-288.

[14] Sartre, *Between Existentialism and Marxism*, trad. ingl. di John Mathews, Pantheon, New York 1983, p. 261.

[15] Cfr. le parole di un critico della sua società anche più duramente pressato, lo scrittore afrikaner André Brink: «Se il dissidente afrikaner incontra oggi una reazione così viziosa da parte dell'establishment, è perché egli viene considerato come un traditore di tutto ciò per cui lotta il mondo afrikaner (poiché l'apartheid ha usurpato per sé quella definizione) — mentre, infatti, il dissidente combatte per affermare gli aspetti più positivi e creativi della sua eredità»: *Writing in a State of Siege: Essays on Politics and Literature*, Summit Books, New York 1983, p. 19. Brink è un critico organico, ma ciò non significa negare che egli potrebbe un giorno essere spinto all'esilio politico o anche ad una sorta di esilio morale, per così dire, al di là del suo coraggioso «mentre».

[16] *Pirke Avot* (Detti dei Padri), 1.10.

[17] *Gli intellettuali e l'organizzazione della cultura*, Einaudi, Torino 1953, p. 16.

[18] Lenin, *What is to be Done?*, p. 101.

[19] È più facile pensare che a questa descrizione possono conformarsi sottogruppi di società più ampie, come comunità religiose ortodosse saldamente unite come gli amish o gli ebrei hassidici negli Stati Uniti d'oggi. La stessa ortodossia non è d'ostacolo alla critica interna, come le infinite eresie della cristianità medioevale o la dissidenza tra i protestanti indicano chiaramente. Ma più piccola e più assediata è la comunità, meno probabile è che essa offra risorse al critico organico. Egli dovrà far appello a quella tradizione politica o religiosa entro cui la sua è precariamente collocata — come un critico della società amish o hassidica potrebbe fare appello più generalmente al protestantesimo o al giudaismo o al liberalismo americano.

Capitolo terzo
Il profeta come critico sociale

I contrasti e le contraddizioni che ho discusso finora — morale scoperta o inventata, da un lato, e morale interpretata, dall'altro; critica esterna e critica interna; valori comuni e pratiche quotidiane; legame sociale e distanza critica — sono contrasti e contraddizioni assai antichi. Non sono proprietà dell'età moderna; anche se io li ho descritti in un idioma che è sicuramente moderno, in altri tempi e in altri luoghi essi sono stati descritti in altri idiomi. Sono pienamente visibili nei primissimi esempi di critica sociale, e in quest'ultimo capitolo voglio vedere che aspetto hanno in quella che può benissimo esser stata la loro prima apparizione, almeno nella storia occidentale. È venuto il momento di aggiungere carne storica alle ossa teoriche del mio ragionamento. E come provare meglio che il critico organico è carne della nostra carne se non dandogli il nome di Amos, il primo e forse il più radicale dei profeti colti d'Israele?

Cercherò di comprendere e di spiegare la pratica della profezia nell'antico Israele. Non voglio parlare della personalità del profeta; non sono interessato alla psicologia dell'ispirazione o dell'estasi. Né voglio parlare dei testi profetici, che in molti punti sono dolorosamente oscuri: io non possiedo la conoscenza storica o filologica necessaria per decifrarli (o anche per offrire letture congetturali di passaggi dubbi). Voglio comprendere la profezia come una pratica sociale; non gli uomini o i testi ma il messaggio, e la recezione del messaggio. Naturalmente, ci furono profeti prima di quelli che conosciamo, indovini, oracoli, rabdomanti e chiaroveggenti; riguardo ai loro messaggi o al loro pubblico, non vi è nulla di particolarmente enigmatico. Chi predice rovina e gloria troverà sempre ascoltatori, specialmente quando la rovina è per i nemici e la gloria per noi stessi. Il popolo afferma, secondo Isaia, «Diteci cose piacevoli» (30:10), ed è ciò che comunemente fanno profeti per professione di corti e di templi.[1] È solo quando questi veggenti vengono messi, come Amos per primo li mette, dentro una cornice morale, quando rappresentano un'occasione per indignarsi, quando le profezie sono anche provocazioni, assalti verbali alle istituzioni e alle attività della vita quotidiana, che essi diventano interessanti. Allora è un enigma perché la gente ascolta, e non solo ascolta ma copia, conserva e ripete il messaggio profetico. Il messaggio non è un messaggio piacevole; esso non può essere facilmente ascoltato o facilmente seguito; la gente, la maggior parte della gente, non fa ciò che il profeta li sprona a fare. Ma essi scelgono di ricordare il suo incitamento. Perché?

È qui, scrive Max Weber, «che il "demagogo" compare per la prima volta storicamente accreditato». Ciò non è però del tutto corretto, perché se i profeti parlavano al popolo e, discutibilmente, a suo nome, e benché parlassero con la ferocia e la rabbia che noi convenzionalmente attribuiamo ai demagoghi, essi non sembrano aver cercato un seguito popolare o aver mai aspirato a una carica politica. Weber è più vicino alla verità quando sostiene che le profezie, annotate per iscritto e circolate nelle città di Israele e di Giuda, rappresentano il primo esempio noto di pamphlet politico.[2] Ma questa proposta è troppo angusta. La religione profetica abbracciava non solo la politica ma ogni aspetto della vita sociale. I profeti erano (il termine è solo leggermente anacronistico) critici sociali. In verità essi furono gli inventori della pratica della critica sociale, anche se non dei loro messaggi critici. E così noi possiamo apprendere dalla loro lettura e dallo studio della loro società qualcosa sulle condizioni che rendono la critica possibile e le danno forza, e anche qualcosa sul posto e la collocazione del critico tra la gente che egli critica.

La prima cosa da notare è che il messaggio profetico dipende da messaggi precedenti. Esso non è qualcosa di radicalmente nuovo; il profeta non è il primo a trovare la morale che espone, né a farla. Noi possiamo notare un certo revisionismo teologico in alcuni dei profeti successivi, ma nessuno di loro presenta una dottrina interamente originale. Per la maggior parte, essi negano di essere originali, e non solo nell'ovvio senso che attribuiscono il loro messaggio a Dio. È più importante che essi si riferiscano continuamente alla storia epica e all'insegnamento morale della *Torah*: «Uomo, ti è stato insegnato ciò che è buono» (Michea, 6:8). Il passato prossimo è significativo. I profeti assumono i messaggi precedenti, gli «spettacoli» divini, l'immediatezza della storia e della legge nelle menti di coloro che li ascoltano. Essi non hanno alcun insegnamento esoterico, nemmeno per i loro discepoli più vicini. Essi parlano ad un vasto pubblico e, per tutta la loro rabbia, sembrano dare per scontato quel pubblico. Essi assumono, scrive Johannes Lindblom, «che le loro parole possono essere immediatamente capite e accettate», non, comunque, che lo fossero: i profeti conoscevano il popolo per il quale profetavano.[3]

L'assunzione profetica trova il suo correlato sociologico nella struttura politica e comunitaria dell'antico Israele: un insieme poco coerente, localizzato e lacerato dai conflitti di ordinamenti che stavano a qualche distanza dalle gerarchie unificate dell'Egitto a Occidente e dell'Assiria a Oriente. In Israele, la religione non era il possesso esclusivo dei preti, e la legge non era il possesso esclusivo di burocrati regi. La profezia nella forma che conosciamo, nella forma critica, non sarebbe stata possibile tranne che per la relativa debolezza del clero e della burocrazia nella vita quotidiana del paese. Le necessarie condizioni ambientali sono indicate nei testi profetici: la giustizia è fatta (o non fatta) alle «porte» della città, e la religione è discussa nelle strade.[4] La Bibbia suggerisce chiaramente l'esistenza tra gli israeliti di una forte religiosità laica e popolare. Questa aveva due aspetti, la pietà individuale e una fede fondata sul patto più o meno comune, anche se ferocemente discussa. Presi insieme, questi due aspetti favorivano una cultura di preghiera e di discussione che era indipendente dalla più formale cultura religiosa del pellegrinaggio e del sacrificio. Sostenuta senza dubbio, come dice Weber, da «circoli di intellettuali urbani», questa religiosità informale andava anche oltre questi circoli.[5] Se non fosse stato così, il profeta non avrebbe mai trovato il suo pubblico.

Oppure la profezia avrebbe assunto una forma completamente differente. Cercherò di illustrare una possibilità alternativa a partire dal libro di Giona, un racconto sul profeta inviato da Dio alla città di Nivive, dove l'appello alla storia e alla legge di Israele non avrebbe ovviamente alcun senso. Ma prima devo dire qualcosa sulle condizioni alle quali l'appello ha senso, specialmente sulla forza e la legittimità della religione laica. In parte, questa è una questione di pratiche popolari, come la pratica della preghiera spontanea descritta da Moshe Greenberg.[6] Ma c'è anche ciò che potremmo chiamare un'idea o anche una dottrina di religiosità laica. La dottrina è interamente appropriata a una fede fondata sul patto, ed è stabilita nel modo più chiaro nel Deuteronomio, l'esposizione cruciale della teologia del patto di Israele. La precisa relazione tra il Deuteronomio e il movimento profetico è un argomento di discussione. Furono i profeti che influenzarono gli scrittori del Deuteronomio o gli scrittori del

Deuteronomio che influenzarono i profeti? Sembra probabile che l'influsso operò in entrambe le direzioni e in modi che non comprenderemo mai del tutto. In ogni caso, un ampio numero di passaggi dei libri profetici echeggiano (o anticipano?) il testo del Deuteronomio così come lo abbiamo ora, e la tradizione contrattuale che il Deuteronomio elabora è sicuramente più vecchia di Amos, anche se la «scoperta» del testo non si verificò prima di un secolo e mezzo dopo le profezie di Amos.[7] Così prenderò il libro per suggerire il retroterra dottrinale della profezia: una spiegazione normativa della cultura informale e non clericale della preghiera e della discussione.

Voglio analizzare brevemente due passaggi, il primo dalla fine del Deuteronomio, il secondo dall'inizio. Se uno di questi facesse parte del manoscritto portato alla luce a Gerusalemme nel 621 a.C. non posso dirlo e non può dirlo nessuno. Essi però condividono lo spirito del documento originale come documento relativo al patto. Il primo passaggio costituiva la base della storia talmudica con la quale ho finito il primo capitolo:

Questo comando che oggi ti ordino non ti è nascosto [In ebreo: *felah*, tradotto alternativamente «non è troppo duro per te»], né è troppo lontano da te. Non è nel cielo, perché tu dica: Chi salirà per noi in cielo, per prendercelo e farcelo udire sì che lo possiamo eseguire? Non è di là dal mare... Anzi, questa parola è molto vicina a te, è nella tua bocca e nel tuo cuore, perché tu la metta in pratica (Deut. 30:11-14).

Mosè in verità scalò la montagna, ma nessuno aveva bisogno di farlo di nuovo. Non v'è più alcun ruolo speciale per mediatori tra il popolo e Dio. La legge non è in cielo; essa è un possesso sociale. Il profeta ha solo bisogno di mostrare al popolo il cuore del popolo stesso. Se la sua è «una voce nel deserto» (Isaia 40:3), non è perché egli si è imbarcato nell'eroica ricerca dei comandamenti di Dio. L'immagine richiama la storia del popolo stesso, del suo proprio tempo nel deserto, quando la voce di Dio era

la voce nel deserto, e ricorda al popolo che esso già conosceva i comandamenti. E anche se il popolo può aver bisogno di qualcuno che gli faccia ricordare, la conoscenza
è prontamente rinnovata, perché la *Torah* non è un insegnamento esoterico. Essa non è nascosta, oscura, difficile
(la parola ebraica ha tutti questi significati, come anche
quelli di «meraviglioso» e «messo da parte», come un testo sacro potrebbe essere messo da parte per un corpo di
preti specialmente addestrati). L'insegnamento è disponibile, comune, popolare, tanto che ad ognuno si coman-
da di parlare su esso:

Questi precetti che oggi ti do, ti stiano fissi nel cuore; li ripeterai ai
tuoi figli, ne parlerai quando sarai seduto in casa tua, quando cammi-
nerai per via, quando ti coricherai e quando ti alzerai (Deut. 6:6-7).

La profezia è un tipo speciale di discorso, non tanto
una versione educata quanto una versione ispirata e poe-
tica di ciò che deve esser stato almeno qualche volta, in
qualche parte significativa del pubblico del profeta, il discorso ordinario. Non solo la ripetizione rituale di testi
chiave, ma preghiera accorata, racconto di storie e dibattito dottrinale: la Bibbia dà prove di tutto ciò e la profezia è collegata ad esso, dipendente da esso. Anche se c'è
conflitto tra i profeti e il clero costituito, la profezia non
costituisce in nessun senso un movimento sotterraneo o
settario. Nella disputa tra Amos e il prete Amasia, è il
profeta che fa appello alla tradizione religiosa, mentre il
prete solo alla ragion di Stato (7:10-17). La profezia mira
a suscitare ricordo, riconoscimento, indignazione, pentimento. In ebreo, l'ultima di queste parole deriva da una
radice che significa «volgersi, tornare indietro, ritorna-
re», ed implica così che il pentimento è parassita di una
morale precedentemente accettata e comunemente compresa. La stessa implicazione è evidente nella profezia
stessa. Il profeta predice rovina, ma ciò che motiva i suoi
ascoltatori non è solo la paura di disastri imminenti, ma

anche la conoscenza della legge, un senso della propria storia e un sentimento della tradizione religiosa. L'ammonimento profetico, scrive Greenberg,

presuppone un terreno comune su cui stanno profeta e pubblico, non solo relativamente alle tradizioni storiche ma anche alle domande religiose. I profeti sembrano fare appello alla natura migliore del loro pubblico, ponendolo di fronte a richieste di Dio che esso conosce (o conosceva) ma desidera ignorare o dimenticare... C'è più che un po' d'ottimismo che permea la successione durata per generazioni di profeti riformatori; riflette la fiducia dei profeti nel fatto che, in ultima analisi, essi avevano degli avvocati nei cuori della gente che li ascoltava.[8]

Confrontate questa veduta con l'esempio dato dal libro di Giona. Questo è un racconto tardo (successivo all'esilio), preso comunemente per parlare a favore dell'universalismo della legge divina e della preoccupazione divina, anche se l'universalismo è di fatto un argomento antico. Forse Giona è un racconto antico, ripetuto qualche volta dopo il ritorno da Babilonia come un attacco al provincialismo della restaurazione giudea. Il tema immediato della storia è la reversibilità del decreto divino, un tema sollevato, almeno implicitamente, nei primi profeti.[9] Il fatto che Dio stesso è capace di «pentimento» è suggerito da Amos (7:3), e c'è un esempio notevole anche prima, nella storia dell'Esodo. Io, però, voglio mettere in rilievo un altro aspetto del libro di Giona e confrontare il contenuto del messaggio di Giona con quello dei profeti di Israele. Il contrasto sarebbe anche più netto se il Giona del racconto potesse essere identificato col profeta Giona, figlio di Amittai, menzionato nel secondo libro dei Re, 14:25, un contemporaneo di Amos; esso però non dipende dalla identificazione. Per il mio scopo immediato la provenienza del racconto e le intenzioni del suo autore importano meno del racconto stesso. Prenderò il «complotto» alla lettera e passerò sopra le sue ovvie ironie (il fatto, per esempio, che gli abitanti di Ninive si pentirono realmente, mentre nessuno dei profeti di Israele poté riportare un simile successo). Quando Giona profetizza rovina a Ninive, egli è necessariamente un tipo di profeta diverso da Amos a Betel o da Michea a Gerusalemme, perché la rovina è l'intero contenuto della sua profezia. Egli non può riferirsi a una tradizione religiosa o a una legge morale racchiusa in forma di patto. Quale che sia la religione degli abitanti di Ninive, Giona non sembra saperne nulla e non avere interesse per essa. Egli è un critico distaccato della società di Ninive e la sua profezia è racchiusa in una sola frase: «Ancora quaranta giorni e Ninive sarà distrutta» (3:4).

«Distruggere» è il verbo usato in Genesi 19:25 per descrivere la sorte di Sodoma e Gomorra ed esso serve ad assimilare Ninive a queste due città. Tutte e tre sono condannate a causa della «malvagità» dei loro abitanti. Nahum Sarna suggerisce un altro paragone, basato sulla ripetizione di un'altra parola. Ninive è accusata del crimine di «violenza», che echeggia l'accusa che spiega il diluvio: «Ma la terra era piena di violenza» (Genesi 6:11). In nessuno dei due casi si dice qualcosa di più specifico.[10] La malvagità di Sodoma è almeno minimamente specificata: la sua forma immediata è il maltrattamento sessuale di ospiti e stranieri. Ma noi sappiamo realmente molto poco della vita interna di Sodoma o della storia morale o degli obblighi dei suoi cittadini. E sappiamo anche meno del mondo prima del diluvio o della remota città di Ninive. Giona non ci racconta assolutamente nulla: questa è una profezia senza poesia, senza risonanza, senza allusioni o dettagli concreti. Il profeta viene e va, una voce aliena, un mero messaggero, senza legami col popolo della città. Anche la considerazione per il popolo che Dio gli insegna, alla fine è solo una «pietà» piuttosto astratta per «le centoventimila persone che non sanno distinguere fra la mano destra e la sinistra» (4:11).

Quest'ultima frase si riferisce probabilmente ai bambini di Ninive; gli adulti, sembra, hanno un certo discernimento, perché essi si pentono. Benché Giona non dica nulla su ciò, c'è qualche conoscenza morale cui essi possono tornare, qualche conoscenza fondamentale che Dio e il suo profeta presuppongono allo stesso modo. Naturalmente, Ninive ha la sua storia morale e religiosa, il suo credo, il suo codice, i suoi templi e preti, i suoi dèi. Ma lo scopo di Giona non è di ricordare al popolo ciò che è suo; solo un profeta locale (un critico organico) potrebbe farlo. Cercate di immaginare Giona in conversazione con gli abitanti di Ninive: che potrebbe aver detto? La conversazione è parassita della comunità, e poiché la comunità qui è minima, noi possiamo immaginare solo una conversazione minima. Non è che qui non vi sia nulla da dire, ma il discorso sarebbe esile, centrato su quelle conoscenze morali che non dipendono dalla vita comune; ci sarebbe poco spazio per la sfumatura o la sottigliezza. Così la profezia di Giona e il suo compimento: il popolo riconosce e si allontana «dalla violenza che è nelle sue mani» (3:8). Cos'è questa violenza il cui riconoscimento non dipende da una particolare storia morale o religiosa?

I primi due capitoli del libro di Amos danno una risposta a questa domanda. Qui il profeta «giudica» un gruppo di nazioni con le quali Israele è stato da poco in guerra e dà un breve, anche se a volte oscuro, resoconto dei loro crimini. Quelli di Damasco «trebbiarono con trebbie ferrate Galaad», un riferimento, pare, all'estrema crudeltà in guerra; quelli di Gaza «hanno deportato popolazioni intere; quelli di Tiro violarono un trattato»; Edom «ha inseguito con la spada suo fratello e ha soffocato la pietà verso di lui»; gli ammoniti «hanno sventrato le donne incinte di Galaad»; Moab «ha bruciato le ossa del re di Edom» (1:3-2:2). Tutti questi sono crimini di «violenza» e in tutti loro le vittime sono nemici e stranieri, non concittadini. Questi sono i soli crimini per cui le «nazioni» (a differenza di Israele e Giuda) sono punite. Il profeta giudica i vicini di Israele solo per violazioni di un codice minimo, di «una specie di diritto internazionale religioso

— sostiene Weber — di cui si presuppone la validità tra i popoli di Palestina».[11] Sulla morale sociale sostanziale di questi popoli, sulle loro pratiche e istituzioni sociali interne, Amos, come Giona a Ninive, non ha nulla da dire.

Il giudizio di Amos delle nazioni suggerisce non un universalismo tardo e innovativo ma un universalismo precedente e noto. L'esistenza di una specie di diritto internazionale, che fissava il trattamento di nemici e stranieri, sembra essere presupposto nella storia di Sodoma e Gomorra, alla quale Amos si riferisce casualmente come se il suo pubblico la conoscesse già bene (4:11), e un qualche codice minimo del genere può anche stare alla base della storia del diluvio. L'autore del libro di Giona, secoli dopo, non aggiunge nulla all'argomentazione. Dio punirà la «violenza» dovunque si verifichi. Ma accanto a questo universalismo c'è il messaggio più particolarista, dato soltanto (almeno da parte dei profeti israeliti) ai figli di Israele:

Soltanto voi ho eletto fra tutte le stirpi della terra;
perciò io vi farò scontare tutte le vostre iniquità (3:2).

«Tutte le vostre iniquità», quelle interne e quelle internazionali: l'elaborazione di questa frase costituisce la morale particolare, l'argomento sostanziale dei profeti.

La preoccupazione dei profeti è per *questo* popolo, il loro popolo, la «famiglia», come dice Amos, che venne via dall'Egitto (2:10). (Ai miei fini attuali ignorerò la divisione politica tra i regni rivali di Israele e di Giuda; i due regni condividono una storia e un diritto, e profeti come Amos fanno la spola tra loro). Giona, al contrario, non ha alcun interesse personale a Ninive e nessuna conoscenza della sua storia morale. Perciò Martin Buber ha torto a chiamare la storia di Giona un «paradigma della natura e del compito profetici».[12] Il compito paradigmatico dei profeti è quello di giudicare i rapporti reciproci della gente (e i rapporti col «loro» Dio), di giudicare il carattere interno della loro società, che è esattamente ciò che Giona non fa. L'insegnamento profetico, scrive Lindblom più correttamente, «è caratterizzato dal principio della solidarietà. Dietro la richiesta di carità e giustizia... sta l'idea del *popolo*, del popolo come un tutto organico, unito dalla elezione e dal patto» — eletto, potremmo dire, da una storia peculiare.[13] Legati a questa solidarietà, i profeti evitano il settarismo proprio come evitano qualsiasi più largo universalismo. Essi non tentano nessuna ulteriore elezione; non fanno nessun sforzo per radunare intorno a sé una banda di «fratelli». Quando si rivolgono al loro pubblico, essi usano sempre nomi propri inclusivi, Israele, Giuseppe, Giacobbe; la loro attenzione riguarda sempre il destino della comunità del patto come un tutto.

Per la stessa ragione, il messaggio dei profeti è risolutamente intramondano. La loro è un'etica sociale e quotidiana. Due punti sono qui cruciali, che prendo entrambi da Weber, la cui prospettiva comparatista è specialmente illuminante.[14] Primo, non c'è alcuna utopia profetica, nessuna spiegazione (nello stile di Platone, diciamo) del «miglior» regime politico o religioso, un regime senza storia, collocato da qualche parte o in nessun luogo. I profeti non hanno immaginazioni filosofiche. Essi sono radicati, con tutta la loro rabbia, nelle loro società. La causa di Israele è qui, ed essa ha bisogno solo di essere ordinata in accordo con le sue proprie leggi. Secondo, i profeti non si interessano alla salvezza individuale o alla perfezione delle anime. Essi non sono adepti religiosi o mistici; non difendono mai l'ascetismo o il rifiuto del mondo. Il torto e il diritto sono entrambi esperienze sociali e il profeta e i suoi ascoltatori sono implicati in queste esperienze in accordo col principio di solidarietà, indipendentemente dal fatto che le loro azioni siano giuste o sbagliate. La speculazione utopica e il rifiuto del mondo sono due forme di fuga dal particolarismo. Esse assumono sempre entrambe forme culturali specifiche ma in linea di principio sono disponibili senza riguardo alla identità culturale: chiunque può lasciare il mondo dietro, chiunque può venire in «nessun luogo». L'argomento profetico, al contrario, è che questo popolo deve vivere a modo suo.

I profeti invocano una particolare tradizione religiosa e una particolare legge morale, che presumono entrambe conosciute dal loro pubblico. I riferimenti sono costanti, e mentre alcuni di loro ci sono misteriosi, essi erano presumibilmente noti agli uomini e alle donne che si radunavano a Betel o Gerusalemme per ascoltare. Noi abbiamo bisogno di note a piè di pagina, ma la profezia, come certa poesia moderna, non è fatta per esser letta con note del genere. Considerate questi versi di Amos, che seguono subito dopo il famoso brano su quelli che hanno venduto il giusto per danaro e il povero per un paio di sandali:

Su vesti prese come pegno si stendono
presso ogni altare (2:8)

Il riferimento, qui, è alla legge di Esodo 22:26-27 (parte del Libro del patto): «Se prendi in pegno il mantello del tuo prossimo, glielo renderai al tramonto del sole, perché è la sua sola coperta, è il mantello per la sua pelle; come potrebbe coprirsi dormendo?». Il lamento del profeta non ha senso senza la legge. Che la legge fosse già scritta (come sembra probabile in questo caso) o che fosse conosciuta solo attraverso una tradizione orale, il punto è che era conosciuta e, a giudicare dalla forma del riferimento, comunemente conosciuta. Tuttavia, né la legge né la morale dietro la legge sono universalmente note. Abbiamo idee differenti sulla garanzia (il pegno) e non è ovvio che le nostre idee sono ingiuste.

Ma i profeti non solo richiamano e ripetono la tradizione, essi la interpretano e la rivedono anche. Mi sono talvolta imbattuto in alcuni che si sforzano di negare il valore dell'esempio profetico per una comprensione generale della critica sociale, sostenendo che Israele possedeva una tradizione morale inusualmente coerente, mentre noi oggi abbiamo solo tradizioni in competizione e disaccordi senza fine.[15] Ma la coerenza della religione israelita è più una conseguenza che una condizione del lavoro dei profeti. Le loro profezie, insieme con gli scritti della Scuola deuteronomica, cominciano la creazione di qualcosa che potremmo chiamare giudaismo normativo. È importante mettere in evidenza i codici morali e giuridici preesistenti, il senso di un passato comune, la profondità della religiosità popolare. Ma tutto ciò era ancora teologicamente appena abbozzato, altamente dubbio, radicalmente pluralistico nella forma. Infatti, i profeti sceglievano tra i materiali disponibili. Ciò che preti come Amasia consideravano essere «secondario e subordinato» nella religione israelita, i profeti consideravano «essere primario... il nucleo di un nuovo... complesso teoretico». Ora, per mettere la stessa questione in modo diverso, i profeti cercarono di suscitare un'immagine della tradizione che avesse senso per i loro contemporanei, e si legasse con l'esperienza di questi. Essi sono parassiti del passato, ma danno anche forma al passato di cui sono parassiti.[16]

Anche qui, essi probabilmente non agiscono da soli. Proprio come dobbiamo resistere alla descrizione dell'antico Israele come un caso speciale di coerenza morale, così dobbiamo resistere alla descrizione dei profeti come individui peculiari, eccentrici e solitari. Essi non sono più soli quando interpretano il credo israelita che quando ripetono il credo. L'interpretazione, come io l'ho descritta, come i profeti l'hanno praticata, è un'attività comune. La nuova enfasi sul codice sociale dell'Esodo, per esempio, è quasi certamente radicata in discussioni e dispute che continuarono — lo si può facilmente immaginare — nelle città di Israele e di Giuda. Amos può difficilmente essere stato il primo a comprendere che la legge del pegno era stata violata. Parla su un retroterra di crescita urbana e differenziazione di classe che diede a quella legge, e a tutte le leggi dell'Esodo, un nuovo rilievo. Similmente, la de-enfasi profetica del sacrificio rituale è radicata nella pietà popolare, nel rifiutare o nell'evitare la mediazione sacerdotale, in un racconto spontaneo, attraverso la preghiera individuale, dell'antico sogno che tutto Israele sarebbe stato «un regno di sacerdoti e una nazione santa».[17] Ancora, sono i profeti che più chiaramente stabiliscono il legame tra pietà e comportamento e che più esplicitamente usano le leggi dell'Esodo come un'arma di critica sociale.

Il ragionamento di Amos rivela drammaticamente sia la nuova enfasi e la nuova de-enfasi. Noi dobbiamo assumere i cambiamenti sociali che precedono e motivano la sua profezia: l'introduzione di ineguaglianze sempre più grandi in ciò che era stata, e ancora era idealmente, un'associazione di uomini liberi. Senza dubbio, una qualche ineguaglianza era già antica, altrimenti non vi sarebbe stato nessun antico codice sociale teso a migliorare le sue conseguenze. Ma nell'ottavo secolo avanti Cristo, gli anni del governo monarchico avevano prodotto dentro e intorno alla corte e nelle città in crescita una nuova classe superiore mantenuta da una nuova classe inferiore. Le scoperte archeologiche, più esplicite in questo caso di quanto lo siano di solito, confermano lo sviluppo: «le case semplici, uniformi, dei secoli precedenti erano state sostituite da un lato dalle dimore lussuose dei ricchi, dall'altro da stamberghe».[18] Amos è, sopra tutto, un critico di questa nuova classe superiore, i cui membri erano sempre più capaci di, e legati a, ciò che noi ora chiamiamo un alto tenore di vita, con case invernali e case estive (3:5), letti di avorio (6:4), feste sontuose e profumi costosi:

bevono il vino in larghe coppe
e si ungono con gli unguenti più raffinati (6:6).

La caustica descrizione di tutto ciò da parte del profeta viene spesso caratterizzata come una specie di puritanesimo rurale, come il disgusto di un campagnolo per fantasie di città.[19] Forse c'è qualcosa di vero in quest'idea, benché la profezia indossi anche gli abiti dell'esperienza e della discussione cittadine. Se il profeta qualche volta guarda alla città da una certa distanza, egli più spesso guarda da una certa distanza solo ai cittadini ricchi e potenti di una città, cioè dalla prospettiva degli uomini e delle donne che essi hanno oppresso. Egli invoca poi valori che anche gli oppressori pretendono di condividere. La principale accusa di Amos, il suo messaggio critico, non è che i ricchi vivono bene, ma che vivono bene a spese dei poveri. Essi hanno dimenticato non solo le leggi del patto ma il vincolo stesso, il principio della solidarietà: «Ma della rovina di Giuseppe non si preoccupano» (6:6). Più che questo: essi stessi sono responsabili della rovina di Giuseppe; sono colpevoli del crimine egiziano dell'oppressione.

La parola di Amos per «oppresso» è 'ashok; egli usa la parola dell'Esodo lahatz solo una volta (6:14), quando descrive ciò che accadrà a Israele nelle mani di un innominato potere straniero. Il cambiamento di terminologia suggerisce bene come Amos (o ignoti oratori o scrittori prima di lui) risponda, entro la tradizione, a una nuova esperienza sociale. Lahatz significa «premere, spremere, schiacciare, costringere, esercitare la coazione». Lo spettro di significati evocati da 'ashok è del tutto differente: «maltrattare, sfruttare, far torto, offendere, estorcere, defraudare». Lahatz ha connotazioni politiche; 'ashok, connotazioni economiche. Naturalmente, l'oppressione egiziana aveva un carattere anche economico, e nell'Israele e Giuda dell'ottavo secolo l'oppressione dei poveri era sostenuta dai regimi monarchici. Amos condanna sia «le grandi case» sia i «palazzi». Il nuovo servaggio aveva la sua origine nel commercio, nell'usura, nei debiti, nell'inadempienza e nella confisca; il suo ambiente fu più significativamente il mercato che lo Stato. Amos si rivolge egli stesso specificamente ai mercanti avari:

Ascoltate questo, voi che calpestate il povero
e sterminate gli umili del paese,
voi che dite «Quando sarà passato il novilunio
e si potrà vendere il grano?
E il sabato, perché si possa smerciare il frumento,
diminuendo le misure e aumentando il siclo
e usando bilance false,
per comprare con denaro gli indigenti
e il povero per un paio di sandali?
Venderemo anche lo scarto del grano» (8:4-6)

Amos si rivolge a un destinatario che è doppiamente specifico: si rivolge infatti agli avari mercanti *israeliti*, che riescono con fatica ad attendere la fine dei santi giorni di Israele, quando le trattazione d'affari sono vietate, sicché possano tornare agli affari di estorsione e di frode. Amos solleva domande difficili. Quale specie di religione è quella che pone solo limiti temporanei e intermittenti all'avarizia e all'oppressione? Qual è la qualità del culto se non dirige il cuore verso il bene? Come il profeta li descrive, gli oppressori dei poveri sono scrupolosamente «ortodossi». Essi osservano la festa della luna nuova, il precetto del sabato, partecipano alle assemblee religiose, offrono i sacrifici richiesti, cantano in coro gli inni che accompagnano i riti sacerdotali. Ma tutto ciò è mera ipocrisia, se non si traduce in una condotta quotidiana in accordo col codice del patto. La semplice osservanza dei riti non è ciò che Dio vuole da Israele. Puntando il dito verso quelle che sono le vere richieste di Dio, Amos evoca la memoria dell'Esodo: «Mi avete forse offerto vittime e oblazioni nel deserto per quarant'anni, Israeliti?» (5:25). Nella storia dell'Esodo come l'abbiamo noi, essi

lo fecero; forse Amos aveva accesso a una tradizione alternativa.[20] Ma la pratica del sacrificio non è, in ogni
caso, ciò che dev'essere appreso dall'esperienza della liberazione. In verità, se l'oppressione continua, nulla de-
v'essere appreso, indipendentemente dalla quantità di
animali che vengono sacrificati.

Questo è lo standard della critica sociale, e benché i
critici successivi raramente raggiungano l'arrabbiata poesia dei profeti, noi possiamo riconoscere nella loro opera
la stessa struttura intellettuale: l'identificazione di pro-
nunciamenti pubblici e dell'opinione rispettabile come
ipocriti, l'attacco al comportamento reale e agli ordinamenti istituzionali, la ricerca dell'essenza dei valori (per
i quali l'ipocrisia è sempre una traccia), la richiesta di una
vita quotidiana che si svolga secondo ciò che è l'essenza
dura delle cose. Il critico comincia con un'avversione e
termina con un'affermazione:

Io detesto, respingo le vostre feste
e non gradisco le vostre riunioni;
anche se voi mi offrite olocausti,
io non gradisco i vostri doni
e le vittime grasse come pacificazione
io non le guardo.
Lontano da me il frastuono dei tuoi canti:
il suono delle tue arpe non posso sentirlo!
Piuttosto scorra come acqua il diritto
e la giustizia come un torrente perenne (5:21-24)

Il solo scopo delle cerimonie è quello di ricordare al popolo i suoi obblighi morali: la legge di Dio e il patto nel
deserto. Se non si serve quello scopo, allora le cerimonie
sono inutili. O ancora peggio, poiché esse generano tra
gli israeliti ricchi ed avari un falso senso di sicurezza, come se essi fossero al sicuro dalla collera divina. Le profezie di rovina, che formano tanta parte del messaggio di
Amos, sono tese a dissipare quel senso di sicurezza, a
scuotere la fiducia di coloro che sono pii solo per conven-

zione: «Guai agli spensierati di Sion» (6:1). Né il termine «guai» né quello «odio» costituiscono comunque la sostanza dell'argomento di Amos; la sostanza del discorso è la «giustizia» e il «diritto».

Ma come sa il profeta che giustizia e diritto sono l'essenza dei valori della tradizione israelita? Perché non il pellegrinaggio e il sacrificio, il canto e il rito solenne? Perché non il decoro rituale e la deferenza ai sacerdoti di Dio? Presumibilmente, se Amasia avesse dato una difesa positiva delle sue attività a Betel, egli ci avrebbe dato un quadro diverso dei valori israeliti. Come si chiuderebbe allora la disputa tra Amasia e Amos? Sia il sacerdote sia il profeta potrebbero citare testi — non v'è mai mancanza di testi — ed entrambi troverebbero sostenitori nella folla radunatasi al tempio. Ho sostenuto che disaccordi di questo tipo in effetti non si compongono, non almeno in modo definitivo. E non arriverebbero ad una composizione anche se Dio stesso dovesse intervenire, perché tutto ciò che egli può dare è un altro testo, soggetto a interpretazione esattamente come i primi: «Non è in cielo». Ancora, noi possiamo riconoscere, lungo la via, argomenti buoni e argomenti cattivi, interpretazioni forti e interpretazioni deboli. In questo caso è significativo che Amasia non sollevi nessuna pretesa positiva. Il suo silenzio è una sorta di ammissione dal fatto che Amos ha fornito una spiegazione convincente della religione israelita; dunque, forse, che egli ha trovato, come dice Greenberg, dei difensori nei cuori del popolo. Ciò non pone termine al contrasto, e non solo perché il profeta è apparentemente costretto a lasciare Betel, mentre Amasia continua le sue pratiche sacerdotali. La pretesa secondo cui si serve meglio Dio con un culto scrupoloso di lui che trattando giustamente con i propri simili, anche se è sollevata solo implicitamente, ha un'attrattiva durevole: il culto è più facile della giustizia. Ma Amos ha riportato una specie di vittoria, la sola possibile: ha evocato l'essenza dei valori sostanziali del suo pubblico in una maniera potente e plausibile. Egli suggerisce una identificazione dei poveri d'Israele con gli schiavi israeliti in Egitto e così fa della giustizia la domanda religiosa primaria. Perché, altrimenti, Dio avrebbe liberato il popolo, *questo popolo*, dalla casa della schiavitù?

La profezia di Amos è critica sociale perché essa sfida i capi, le convenzioni, le pratiche rituali di una società particolare e perché lo fa in nome di valori riconosciuti e condivisi in quella stessa società.[21] Ho già distinto questo tipo di profezia dal tipo rappresentato da Giona a Ninive: Giona è un semplice messaggero che fa appello a valori sociali, anche se egli può fare appello, senza dirlo, a un codice minimo, a una specie di diritto internazionale. Egli non è un missionario, che porta con sé una dottrina alternativa; non cerca di convertire il popolo di Ninive alla religione di Israele, di portarlo al patto del Sinai. Egli rappresenta solo il codice minimo (e Dio il suo autore minimo, che non può avere per gli abitanti di Ninive alcuna specificità storica, che ha invece per gli israeliti). Possiamo pensare a Giona come a un critico minimalista; non sappiamo realmente quali tipi di cambiamenti egli abbia richiesto nella vita di Ninive, ma presumibilmente in nessun posto vicino essi erano così ampi come quelli richiesti da Amos in Israele.

Ciò che fa la differenza è l'appartenenza di Amos alla sua società. La sua critica va più a fondo di quella di Giona perché egli conosce i valori fondamentali degli uomini e delle donne che critica (o perché racconta loro una storia plausibile su quale dei loro valori dovrebbe essere quello fondamentale). E poiché egli a sua volta è riconosciuto come uno di loro, può richiamarli al loro «vero» sentiero. Propone riforme che essi possono intraprendere restando membri della stessa società. Amos, naturalmente, può esser letto in modo diverso: le profezie di rovina sono così potenti e implacabili che, in qualche interpretazione, esse sopraffanno qualsiasi possibile argomento di pentimento e di riforma. E allora i suoi argomenti a favore della giustizia e le promesse di conforto divino alla fine sembrano non convincenti, come se venissero (come credono molti commentatori, almeno per quanto riguarda le promesse) da un'altra mano.[22] La passione che anima il libro nel suo insieme, comunque, è sicuramente una profonda preoccupazione per «la rovina di Giuseppe», un forte senso di solidarietà, un legame verso il patto che rende Israele Israele. Amos è un critico non solo per la sua rabbia, ma anche per le sue preoccupazioni. Egli mira a una riforma interna che metterà fine alla nuova oppressione di Israele, o dei poveri di Israele. Questo è il significato sociale che egli ha in mente quando ripete (o anticipa) l'ingiunzione del Deuteronomio: «Odiate il male e amate il bene» (5:15; cfr. Deut. 30:15-20).

Amos profetizza anche contro nazioni diverse da Israele. Qui egli è un critico dall'esterno, come Giona, ed egli si limita al comportamento esterno, a violazioni di qualche tipo di diritto internazionale. Non intendo suggerire, comunque, che le clausole del patto di Israele non abbiano una validità generale. Si potrebbero senza dubbio astrarre regole universali da esse — soprattutto una regola universale: *non opprimete i poveri* (l'oppressione è, come scrive Weber, «il più grave di tutti i vizi» agli occhi dei profeti di Israele).[23] E allora si potrebbe giudicare e condannare l'oppressione dei siriani, o dei filistei, o dei moabiti, da parte dei loro avari compagni nello stesso modo che i profeti giudicano e condannano l'oppressione degli israeliti. Ma non, di fatto, allo stesso modo, non con le stesse parole, le stesse immagini, gli stessi riferimenti; non con riguardo alle stesse pratiche e agli stessi princîpi religiosi. Infatti il potere di un profeta come Amos deriva dalla sua capacità di dire cosa significa l'oppressione, come se ne fa esperienza, in questo tempo e luogo, e di spiegare come essa si lega con altri aspetti di una vita sociale comune. Una delle sue tesi più importanti, per esempio, riguarda l'oppressione e l'osservanza religiosa: è del tutto possibile calpestare i poveri e osservare il sabato. Da ciò egli conclude che le leggi contro i soprusi hanno la precedenza sulle leggi del sabato. La gerarchia è specifica; essa invita gli ascoltatori del profeta a ricordare che il sabato fu istituito «perché il tuo schiavo e la tua schiava si riposino come te» (Deut. 5:14). La profezia avrebbe vita breve e scarsi risultati se essa non potesse evocare memorie di questo tipo. Noi potremmo pensare alla profezia, quindi, come un esercizio accademico. In un paese straniero, Amos somiglierebbe a Sansone a Gaza. Non privo di occhi, ma privo di lingua: egli potrebbe vedere l'oppressione ma non sarebbe in grado di darle un nome o di parlarne al cuore del popolo.

Altre nazioni, naturalmente, possono leggere e ammirare i profeti israeliti, tradurre le profezie nella loro lingua (annotando a piè di pagina i riferimenti) e trovare analogie nella loro società per le pratiche condannate dai profeti. Ma non so quale sarebbe l'effettiva portata della lettura e dell'ammirazione. Ovviamente, essa non coincide con la portata possibile, e può ben essere limitata a quelle nazioni la cui storia si trova in qualche senso importante in continuazione con la storia di Israele. In linea di principio, però, essa potrebbe andare anche altre. Che senso avrebbe se lo facesse? È improbabile che lettori distanti imparerebbero dai profeti un insieme di regole astratte, o anche una sola regola: non opprimete i poveri. Se sapessero cos'era l'oppressione (se potessero tradurre la parola ebrea 'ashok), ne saprebbero già molto. La regola, anche se potesse avere riferimenti e applicazioni differenti, sarebbe familiare. Più probabilmente, lettori distanti sarebbero mossi a imitare la pratica della profezia (o forse ad ascoltare in un modo nuovo i loro profeti). È la pratica, non il messaggio, che verrebbe ripetuta. I lettori potrebbero imparare ad essere critici sociali; la critica, comunque, sarebbe la loro. In verità, il messaggio dovrebbe essere diverso se la pratica dovesse essere la stessa

— altrimenti mancherebbe del riferimento storico e della specificità morale che la profezia (e la critica sociale) richiede.

Altrimenti stanno le cose per quanto riguarda le profezie di Amos contro le nazioni. Qui è precisamente il messaggio, il codice minimo, che si ripete: non violate i trattati, non uccidete donne e bambini innocenti, non deportate intere nazioni in un esilio involontario. Confermate da molte parti, queste regole sono incorporate in un diritto delle nazioni che non è molto più esteso del diritto «internazionale» del tempo di Amos. Ma il loro modo di parlare profetico è facilmente dimenticato. Il modo di parlare, infatti, è una mera asserzione e non una interpretazione o elaborazione della legge; riferimento e specificità, anche se Amos dà una breve versione di entrambi, sono di fatto non necessari. Si può fare una distinzione utile tra questi due tipi di regole, quelle contro la violenza e quelle contro l'oppressione? Le due hanno la stessa forma linguistica. Ciascuna di esse si estende verso l'altra, e ci sarà sempre una considerevole sovrapposizione tra loro. Il codice minimo è rilevante per lo sviluppo di valori sociali più sostanziali, e presumibilmente vi gioca una parte; e il codice stesso assume una forma particolare a seconda di come questi valori si sviluppano. Tuttavia i due tipi di regole non sono la stessa cosa. Le regole contro la violenza sorgono dalla esperienza di rapporti sia internazionali sia interni; le regole contro l'oppressione sorgono solo dai rapporti interni. Le prime regolano i nostri contatti con l'intera umanità, sia stranieri sia cittadini; le seconde regolano solo la nostra vita in comune. Le prime sono stereotipate nella forma e nell'applicazione; esse hanno un retroterra di aspettative standard basate su una ristretta serie di esperienze standard (tra le quali la guerra è la più rilevante). Le seconde sono complesse nella forma e varie nell'applicazione; esse hanno un retroterra di aspettative multiple e in conflitto, radicate in una lunga e densa storia sociale. Le prime regole tendono alla universalità, le seconde alla particolarità.

È un errore, quindi, lodare i profeti per il loro messaggio universalistico. Infatti, ciò che è più da ammirare in loro è la loro polemica particolaristica — che è anche, essi ci dicono, la polemica di Dio — con i figli di Israele. Qui essi hanno investito la loro rabbia e il loro genio poetico. Il verso che Amos attribuisce a Dio: «Soltanto voi ho eletto fra tutte le stirpi della terra», potrebbe esser venuto dal suo cuore. Egli conosce una nazione, una storia, ed è quella conoscenza che rende la sua critica così ricca, così radicale, così concreta. Noi possiamo, di nuovo, astrarre le regole e applicarle ad altre nazioni, ma questo non è l'«uso» cui Amos invita. Ciò cui egli invita non è l'applicazione ma la reiterazione. Ogni nazione può avere la sua propria profezia, proprio come ha la sua propria storia, la sua propria liberazione, la sua propria lite con Dio:

«Non ho io fatto uscire Israele dal paese d'Egitto, i Filistei da Caftor e gli Aramei da Kir?» (9:7)

---

¹ Cfr. Johannes Lindblom, *Prophecy in Ancient Israel*, Basil Blackwell, Oxford 1962, capp. 1-2; Joseph Blenkensopp, *A History of Prophecy in Israel*, Spck, London 1984, cap. 2.

² Weber, *Il giudaismo antico*, in *Sociologia della religione*, trad. it. a cura di P. Rossi, Comunità, Milano 1982, vol. II, pp. 631, 633.

³ *Prophecy in Ancient Israel*, p. 313.

⁴ Cfr. James Luther May, *Amos: A Commentary*, Westminster, Philadelphia 1969, pp. 11, 93.

⁵ *Il giudaismo antico*, p. 642.

⁶ Greenberg, *Biblical Prose Prayer as Window to the Popular Religion of Ancient Israel*, University of California Press, Berkeley 1983.

[7] Cfr. Anthony Philips, *Prophecy and Law*, in R. Coggings, A. Philips, M. Knibb (a cura di), *Israel's Prophetic Tradition*, Cambridge University Press, Cambridge 1982, p. 218.

[8] *Prose Prayer*, p. 56.

[9] Yehezkel Kaufmann, *The Religion of Israel*, trad. ingl. di Moshe Greenberg, University of Chicago Press, Chicago 1960, pp. 282-284, sostiene che il libro di Giona come lo abbiamo data dall'ottavo secolo a.C., ma sono pochi gli studiosi che concordano con lui.

[10] Nahum Sarna, *Understanding Genesis: The Heritage of Biblical Israel*, Schocken, New York 1970, p. 145.

[11] *Il giudaismo antico*, p. 660.

[12] Buber, *The Prophetic Faith*, Harper and Brothers, New York 1960, p. 104.

[13] *Prophecy in Ancient Israel*, p. 344.

[14] *Il giudaismo antico*, pp. 635, 643, 671-673.

[15] Alternativamente, si mette in rilievo che Amos può parlare in nome di Dio, mentre noi non possiamo pretendere nessuna autorità del genere. Ciò naturalmente crea una differenza, ma non di tipo rilevante. La critica è un procedimento avversativo, e il paragone rilevante è tra il critico e il suo avversario, non tra critici che provengono da una cultura e critici che provengono da un'altra cultura. E gli avversari di Amos parlavano anch'essi in nome di Dio, mentre gli avversari dei critici sociali contemporanei di solito non sollevano una pretesa siffatta. Ciò che è simile attraverso le culture è la similarità nelle culture: le stesse risorse — testi forniti di autorità, memorie, valori, pratiche, convenzioni — sono disponibili ai critici sociali e ai difensori dello *status quo*.

[16] Walther Zimmerli afferma che i profeti ruppero assai più radicalmente col passato di quanto questo ultimo paragrafo sostenga. La «proclamazione» profetica sommerge, anche quando utilizza, materiale tradizionale e pertanto non può essere catturata sotto la rubrica della «interpretazione». La tradizione, «nel senso salutare del termine, si frantuma e diventa un guscio vuoto di mero ricordo storico». *Prophetic Proclamation and Reinterpretation*, in Douglas Knight (a cura di), *Tradition and Theology in the Old Testament*, Fortress Press, Philadelphia s.d., p. 99. Ma ciò ignora il contenuto della proclamazione profetica, i termini o standard cui Israele è tenuto. Il giudizio sarebbe del tutto arbitrario se non si riferisse a standard con i quali il popolo

era, o si supponeva fosse, familiare. Amos fa quel riferimento sistematicamente.

[17] Greenberg, *Prose Prayer*, p. 52.

[18] Martin Smith, *Palestinian Parties and Politics That Shaped the Old Testament*, Columbia University Press, New York 1971, p. 139.

[19] Cfr., per esempio, Blenkensopp, *History of Prophecy*, p. 95; Henry McKeating, *The Cambridge Bible Commentary; Amos, Hozea, Micah*, Cambridge University Press, Cambridge 1971, p. 5.

[20] McKeating, *Amos, Hosea, Micah*, p. 47.

[21] Cfr. la versione preferita di Raymond Geuss (non la sola versione) della teoria critica: «Una teoria critica si rivolge ai membri di *questo* particolare gruppo sociale... essa descrive i *loro* principî epistemici e il *loro* ideale della "vita buona" e dimostra che qualche idea che essi hanno è riflessivamente inaccettabile per agenti che hanno i loro principî epistemici e una fonte di frustrazione per agenti che cercano di realizzare questa particolare specie di "vita buona"»: *Idea of a Critical Theory*, p. 63.

[22] May, *Amos*, pp. 164-165. Cfr. McKeating, *Amos, Hosea, Micah*, pp. 69-70.

[23] *Il giudaismo antico*, p. 642.

Indice dei nomi

Nella stessa collana